『ドイツ研究』第 54 号

目次

学会通信

▶シンポジウム

ヴァイマール 100 年
――ドイツにおける民主主義の歴史的アクチュアリティ

基調講演：ベンヤミン・ツィーマン（シェフィールド大学）
パネリスト：板橋　拓已（成蹊大学）
今井　宏昌（九州大学）
速水　淑子（横浜市立大学）
司　　会：小野寺拓也（東京外国語大学）
西山　暁義（共立女子大学）

はじめに

小野寺拓也／西山暁義

2019 年はヴァイマール憲法が制定されて 100 年目となる。第一次世界大戦の敗北後，当時先進的といわれた同憲法を擁する共和国は，14 年あまり続いた後，ナチの政権掌握によって崩壊した。ナチの期間は 12 年とヴァイマール共和国よりも短かったが，その半分は自ら引き起こした戦争の期間であった。戦後，冷戦の最前線であったドイツには二つの共和国の分立が 40 年続いたが，ベルリンの壁が崩れた後，連邦共和国が民主共和国を吸収合併することで統一され，それから現在 30 年が経とうとしている。

戦争，革命，体制競合といった 20 世紀のドイツの歴史は，共和制民主主義の試練の歴史と言い換えることもできるであろう。そして，ヴァイマール共和国の歴史は，その不安定さと崩壊の歴史から，その後の共和制にとって，先駆的存在であるとともに克服されるべき対象と見なされてきた。他方，近年の排外的ポピュリズムの台頭のなかで，民主主義に胚胎する不安定さが改めてクローズアップされ，そこからヴァイマール時代との類似性や，その歴史的位相を問い直す議論も提起されている。

たとえばナチズム研究者であるミヒャエル・ヴィルト（ベルリン・フンボルト大学）は，当時と現在の相似性として，以下の 5 つを挙げている(1)。①現在は突撃隊のような組織的，全国的な団体は存在しないが，SNS によって一気に動員がかけられるような新しい状況が生じつつある。②ヴァイマール共和国においても，警察がナチ党や突撃隊に対して禁止措置など厳しい対策をとったときには，その勢力拡大は抑えることができた。一方でそれを緩めたり廃止したとき，彼らは一気に拡がっていった。警察や司法が法治国家維持のために果たす役割は，きわめて大きい。③AfD（ドイツのための選択肢）は人種主義的な暴力行為から距離をとろうとせず，むしろそれを些末なものと見せかけたり，容認したりしている。ナチ党がそうであったように，民主主義に敵対的な暴力から明確な距離を置かない政党は，もはや民主主義的な政党とは呼べない。AfD はナチ党ではないが，通常の右派政党ではない。④極右的な現象はこれまでも見られたが，これほどまでに急速かつ持続的な現象は新しいものだ。その背景にあるのは，自分たちは（難民によって）脅威にさらされているという感情だ。ヴァ

（1）以下の記述は，一部が次の訳書の訳者あとがきと重複している。アンドレアス・ヴィルシングほか編（板橋拓已／小野寺拓也監訳）『ナチズムは再来するのか？――民主主義をめぐるヴァイマル共和国の教訓』（慶應義塾大学出版会，2019 年）。

イマール期には，共産主義や左派が脅威とされ，それを排除するためならとナチ党に乗った人びとが少なくない。⑤AfDは，社会を一体的に捉え多数派の支持獲得を目指すということをせず，民族的に分断することを，今までにない政治的な勢いをもって目指している。誰がドイツ民族に属するのかは，もはや国籍ではなく民族や人種的基準だと。社会の意図的な分断こそ，まさに今も当時もなされた社会への攻撃だ(2)。

このように現在でも，ヴァイマール共和国を「歴史の教訓」として活かそうという動きは根強い。「私にとって歴史することの意味は，過去をつかって未来のために考えることだと要約できる」というキャロル・グラックの言葉も想起される。「近代史家は，現在に関係する問題を提起する一方で，よりよい未来をつくるために答えを探すのもまた事実だ」(3)。ミュンヘン現代史研究所所長のアンドレアス・ヴィルシングは，現在とヴァイマール共和国の状況が似ているとされる様々な様態を「ヴァイマール状況」と名付け，政治文化，メディア，政党システム，有権者，経済，国際環境，外国からの眼差しなど，多面的にその比較の妥当性を検討している(4)。グローバル化の不安に対抗するためのナショナリズムや一国保護主義，報道機関と政党・政治家の関係の近さと，それによって生ずる陰謀論や，「体制メディア」「嘘つきメディア」といったポスト民主主義的な体制批判など，当時と現在の類似性がそこではいくつか確認されている。メディアや世論が分断され，そのなかでそれぞれの陣営が「エコーチェンバー」のなかで，自分たちにしか通じない意見や感情を増幅させていく状況は，当時との類似性としてもっとも憂慮されるものと言える。

もっともヴィルシングも指摘するように，ヴァイマール共和国と現在のベルリン共和国が置かれている状況には多くの相違点がある。たとえば，世界恐慌においてはできたばかりの社会国家が，失業問題に効果的に対応できず，そのことが大きな要因となってヴァイマール共和国が崩壊したのにたいし，リーマンショック後の世界金融危機では，社会国家がかなりの程度発展していたために，国家がそうした問題をそれなりに吸収することが可能になっていた。大統領にきわめて大きな権限が与えられ，大統領緊急令の濫発が議会制民主主義を掘り崩していったヴァイマールとは異なり，現在のドイツは厳格な代議制民主主義であり，ヨーロッパの中でもっとも安定した民主主義体制のひとつとして評価されることも多い。

したがって，単純な比較とそれにもとづく悲観的，あるいは楽観的予測は不適切であろう。しかも歴史的な比較が行われる場合，そこで参照される過去は現在との対照のためにしばしば単純化されるだけでなく，当時の文脈から切り離されて現在へと直接接合されることが少なくない。歴史が「教訓」というかたちで直接社会の役に立つことを求められたとき，そこには様々な落とし穴が存在することは，「皇国史観」などの歴史を振り返るまでもなく明らかである(5)。歴史学の大きな役割は，「私たちが現在使用しているものとは異なる用語法によっていかに問題が定式化され，処理され，概念化されたかを理解する」(6)ことにある。過去を過去として捉える，つまり「歴史化（Historisierung）」という作業こそが，本来であれば歴史研究者に第一に求められていることであろう。安直な「教訓」や比較は，「偶然性」や当時ありえた別の方向性などに対する繊細さ，敏感さを抹消させてしまいかねない危険性を秘めている。

かつて遅塚忠躬は『史学概論』において，次のように述べていた。「歴史学は，歴史から実用的教訓を得ることを目的としていない」が，「歴史学の成果を利用する人（一般読者）が歴史から何らかの実用的な教訓を引き出そうとする」ことは排除されないと(7)。ここに，本シンポジウムをめぐる二つの極がある。過去を過去としてありのままに理解するということと，その成果からなにがしかの教訓を得るということ，ヴァイマール共和国史の専門家であり，今回のシンポジウムで基調講演を行った，英国シェフィールド大学のベンヤミン・ツィーマン教授の言葉を借りれば「現在化（Aktualisierung）」との緊張関係である。

ただし，この緊張関係がつねに対立を意味するものではないという点には，留意する必要があるだろう。いうまでもなく歴史とは過去とのたえざる対話であり，過去を過去として理解するという行為自体にも，学問的な要請にくわえて，なんらかの現在的な意味がある。それは現在浸透している「神話」を批判するということかもしれないし，

（2）Michael Wildt, „Droht Deutschland ein neues 1933?“, *Zeit Online*, 8.9.2018.　https://www.zeit.de/wissen/geschichte/2018-09/chemnitz-weimarer-republik-nazizeit-vergleich-rechtsextremismus?wt_zmc=sm.ext.zonaudev.twitter.ref.zeitde.share.link.x（2019年9月29日閲覧）
（3）キャロル・グラック（梅﨑透訳）『歴史で考える』（岩波書店，2007年），12頁。
（4）ヴィルシングほか編『ナチズムは再来するのか？』。
（5）小田中直樹『歴史学ってなんだ？』（PHP研究所，2004年），第2章。
（6）ジョン・ロバートソン（野原慎司／林直樹訳）『啓蒙とはなにか――忘却された＜光＞の哲学』（白水社，2019年），183頁。
（7）遅塚忠躬『史学概論』（東京大学出版会，2010年），46頁。

「歴史化」によって得られる新たな歴史像にこそアクチュアリティがあるということかもしれない。いずれにせよ，そこには歴史家の立場性（positionality）が深く関わっているのである。その意味で「歴史化」と「現在化」は，実は相互補完的な関係にあるのかもしれない。

今回のシンポジウムでは，「歴史化」と「現在化」のそうした複雑な関係を意識しながら，21 世紀の今ヴァイマール共和国の歴史が提起する（しうる）問題を議論することにしたい。ヴァイマール共和国研究には長年の蓄積があるが，近年は，共和国の不安定さや弱さよりも強さや可能性の面に着目し，予定調和的な崩壊論に批判的な研究が増えつつある。基調講演者のツィーマン氏もそうした研究動向を代表する歴史家の一人である。また，政治体制だけではなく，文化的な点においても転換期であったこの時代については，これまでも多くの研究が行われてきた。そこには，それぞれの時代，研究者による「歴史化」と「現在化」の試みの競合，蓄積そして変容を見て取ることができるであろう。そこで本シンポジウムを，学際性を重視するドイツ学会の趣旨に沿って，政治，社会，文化の側面と，それらの相互関係から，ドイツにおける「第一共和制」の時代像と現在性を考える機会として企画することにした。

本シンポジウムの開催にさいしては，多方面からの支援を受けた。日本学術振興会の海外招へい研究者として来日し，約 1 か月の滞在において本講演を含む日本各地での講演を引き受けていただいたベンヤミン・ツィーマン氏，コメンテーターを引き受けていただいた板橋拓己，今井宏昌，速水淑子の三氏，そしてポスター作成や広報活動など様々な支援をしてくださった日本ドイツ学会事務局，会場を提供していただいた法政大学，シンポジウム運営に多大な貢献をしてくださった辻英史氏に心から感謝申し上げたい。

また，本シンポジウムには 150 人を超える方々に来場いただき，企画者としては望外の喜びであった。ここにそのことを記し，感謝の意を表したい。

100年後のヴァイマール共和国
――歴史化と現在化のはざまで

ベンヤミン・ツィーマン
翻訳：小野寺拓也／西山暁義

そもそも2019年という年は，ヴァイマール共和国建国100年を評価するのにふさわしい年とは言えない[(1)]。〔ヴァイマール共和国50年にあたる〕1969年を振り返ってみれば[(2)]，当時歴史家たちが議論していたのは1918/19年の革命的な大衆運動であった。ラインハルト・リュールップが「1918–19年革命の諸問題」についての概観を行ったのは，まさにこの時期であった[(3)]。彼はこの論文で，労働者・兵士評議会の多くが穏健な方向性を示したこと，新秩序の安定に貢献したことを評価した。その後，社会主義者による労働運動がもっていた変革の可能性について，さまざまな研究が行われた（とくにエアハルト・ルーカスは，大学において行われる歴史研究という意味では周縁的な立ち位置にいる人だったが，この問題についての認識を深めるうえで，彼の研究にはきわめて大きな意味があった）[(4)]。1970年代初頭において歴史家たちは，ヴァイマール共和国を左派による運動の時代，社会主義の未来への希望をもたらしてくれる時代として回顧した。

今日の状況はそれとは異なる。私の第二の故郷であるイギリスにおいても，事情通たちはそのように認識しており，「ヴァイマール状況」〔現在とヴァイマール共和国の状況が似ているとされるさまざまな様態のこと〕[(5)]について，ほとんど毎日のように報道されている[(6)]。2017年の連邦議会選挙では，ドイツのための選択肢（AfD）が12.6%を得票してドイツ連邦議会の〔CDU/CSU，SPDに次ぐ〕第三党となった。それ以来，AfDの右派ポピュリズムや外国人に対する敵対的な立場，ドイツ諸都市の街頭での反ユダヤ主義的，外国人に敵対的な暴力行為の増加，そしてさらには代議制民主主義の危機や政治エリートへの信頼喪失といった根本的な問題についてドイツのマスメディアが憂慮しない日は，ほとんど一日たりともない。ドイツ最初の共和国が成立して100年のお祝いは，こうして過度な警戒感のもとで行われている。だからこそ，「ドイツには新たな1933年が迫っているのか？」[(7)]という問いかけがされているのである。ヴァイマール共和国は，民主主義の危機に対する不吉な前触れとして機能している。またか，という感慨を私は拭えないのだが，というのも1980年代も，経済危機と高い失業率という徴候のもと，現在と非常に似た状況にあったからだ。

すぐに気づくのは，メディアや公的な議論におけるこうした焦点（「ドイツには新たな1933年が迫っているのか？」）は，歴史研究者たちがここ20年間重点的に論じてきたこととは一致しない，ということである。その始まりをなし

（1）この論文のもとになっているのは，2019年6月30日の日本ドイツ学会（法政大学）における講演であり，学会のオーガナイズについて小野寺拓也氏，西山暁義氏に感謝する。また，ヴァイマール共和国の諸問題について議論に応じてくれたモーリッツ・フェルマー，マルティン・H・ガイヤー，ナディーヌ・ロッソルの各氏にも感謝する。なお，ヴァイマール共和国に関する近年の研究を概観するハンドブックを現在準備中である。Nadine Rossol/ Benjamin Ziemann (eds.), *The Oxford Handbook of the Weimar Republic*, Oxford, 2021（予定）。

（2）本文中の亀甲括弧は，訳者による補遺である。

（3）Reinhard Rürup, "Problems of the German Revolution 1918-19", *Journal of Contemporary History*, 3 (4), 1968, pp. 109-135.

（4）Erhard Lucas, *Märzrevolution im Ruhrgebiet: Vom Generalstreik gegen den Militärputsch zum bewaffneten Arbeiteraufstand März – April 1920*, 3 Bde., Frankfurt a.M., 1970-78.

（5）アンドレアス・ヴィルシングほか編（板橋拓己／小野寺拓也監訳）『ナチズムは再来するのか？――民主主義をめぐるヴァイマル共和国の教訓』（慶應義塾大学出版会，2019年）。

（6）参照，Martin Kettle, "The Political Landscapes of Brexit Britain and Weimar Germany are scarily similar", *The Guardian*, 16.5.2019. https://www.theguardian.com/commentisfree/2019/may/16/brexit-britain-weimar-germany-far-right-democracy-contempt-politicians（2019年11月14日閲覧）

（7）Michael Wildt, „Droht Deutschland ein neues 1933?", *Zeit Online*, 8.9.2018. https://www.zeit.de/wissen/geschichte/2018-09/chemnitz-weimarer-republik-nazizeit-vergleich-rechtsextremismus?wt_zmc=sm.ext.zonaudev.twitter.ref.zeitde.share.link.x（2019年11月14日閲覧）；次も参照，Jochen Hung/ Godela Weiss-Sussex/ Geoff Wilkes (eds.), *Beyond Glitter and Doom: The Contingency of the Weimar Republic*, München, 2012.

たのが，ペーター・フリッチェの1996年の論文であった。彼はある重要な論考で，次のように問うた。「ヴァイマールは失敗したのだろうか」と[(8)]。フリッチェはもちろん，アドルフ・ヒトラーが1933年初頭に首相に任命されたことを無視したのではない。彼が指摘したのはむしろ，歴史家の使命とは歴史叙述の新しいナラティヴと起承転結（筋立て）を発展させることにあり，〔ヴァイマール〕共和国の歴史は民主主義の失敗の歴史に尽きるものではない，ということであった。フリッチェは，たとえば生活改革やジェンダー・アイデンティティのための新たな生活形態やモデルへの挑戦に見られるような刷新だけでなく，社会科学によって人間や社会を計量化する実験についても指摘している。トーマス・メルゲルは2011年に，ヴァイマール民主主義の失敗を，フランスやイギリスといった西欧諸国と比較することは誤っており，非歴史的であると論じている。本来〔ヴァイマール民主主義が〕参照点とすべきなのは東欧諸国であって，この基準を適用すれば，チェコスロヴァキアを例外として1933年以前に独裁体制に陥らなかった国は一つもないということは明らかだと，指摘したのである[(9)]。

ほかの歴史家，とくにリューディガー・グラーフ，モーリッツ・フェルマー，そしてティム・B・ミュラーはこの10年間，ヴァイマールは事実上つねに危機にあったという診断を相対化する努力を続けてきた[(10)]。しかしそのさいミュラーが達した結論は，私の意見では根拠に乏しいものだ。第一次世界大戦後の「近代民主主義の生存の試み」についての彼の著作の最後のところで，ミュラーは次のように書いている。「ヒトラーが1933年1月に首相に任命されたことは（略）偶然であり，政治的な誤算，無能力，そして陰謀が絡み合った結果である」[(11)]。もちろん，ナチによる権力掌握の原因を19世紀にまで遡らせるという「特有の道」論の眼鏡を通してヴァイマール共和国を解釈するというやり方は，過去となって久しい。そして，数多くの誤算や個人的な無能力，陰謀がヒトラー首相任命への道を敷いたことは間違いない。しかしながら，1933年1月30日はたんなる「偶然」の結果以上のものである。

〔ヴァイマール〕民主主義が抱えていた数多くの負荷を矮小化したり過小評価したりしたところで，ヴァイマール共和国の深い理解にはつながらない。私の思うところでは，歴史家の任務の核心はむしろ，ヴァイマール共和国を歴史化 Historisierung するということにある。すると，ただちに二つの疑問が浮かぶ。なぜ歴史化が必要なのだろうか。そして，そのような歴史化はどのようにして実行に移すことができるのだろうか[(12)]。

一つ目の疑問については，冒頭で述べたヴァイマール共和国に対するアクチュアルな関心が指摘できる。2019年の今日，ヴァイマールとの公的な関わりは，完全に現在化 Aktualisierung という徴候のもとになされている。ヴァイマールは，経済的な不安定性と高まる右派ポピュリズムの徴候のもとでの，民主主義の危機に対する不吉な前触れとして立ち現れている。同時にヴァイマールは，モデルネ文化が成し遂げた偉業の，時代を超越した代名詞としても見なされている。ヴァイマールのバウハウスが100年を祝って刊行した出版物の数々には，それがはっきりと示されている。ドイツ最初の共和国のそのような現在化は，新しいものではない。スイスのジャーナリスト，フリッツ・ルネ・アルマンが1956年に『ボンはヴァイマールではない』という著作を刊行したさい，彼がやったのがこれ〔現在化〕であった[(13)]。その目的は，現状のきわめて肯定的な解釈によって，アデナウアーのもとでの宰相民主主義の安定性を強調することにあった。この観点からは，1918年から1933年の危機的な傾向は，西ドイツ民主主義の肯定的な自己確認に寄与するものであった。ここに示されていたのはビーダーマイヤー的な自己満足であり，そこでは1920年代末の危機はとりわけ，今こそが輝かしい時代なのだという認識枠組みを作り出すために利用されたのである。しかし，ヴァイマールを危機の不吉な前触れと見なす否定的な現在化がなくなることはけっしてなかったし，ヴァイマールについての考えは，この二つの形の現在化のあいだで揺れ動き，いわば強迫観念のように反復されてきたのである[(14)]。

こうして私の中心的な問いである〔二つ目の〕問いに移るのだが，ヴァイマール共和国の歴史化はどのようにして進めることができるのだろうか。この課題については，方法と内容の両面から叙述することができる。内容については，文化，政治，社会を例に述べたい。だが，細かいこと

(8) Peter Fritsche, "Did Weimar Fail?", *The Journal of Modern History*, 68 (3), 1996, pp. 629-656.

(9) Thomas Mergel, "Dictatorship and Democracy 1918-1939", Helmut Walser Smith (ed.), *The Oxford Handbook of Modern German History*, Oxford, 2011, pp. 423-452.

(10) Rüdiger Graf, *Die Zukunft der Weimarer Republik: Krisen und Zukunftsaneignungen in Deutschland 1918-1933*, München, 2008; Moritz Föllmer, "Suicide and Crisis in Weimar Berlin", *Central European History*, 42, 2009, pp. 195-221.

(11) Tim B. Müller, *Nach dem Ersten Weltkrieg: Lebensversuche moderner Demokratien*, Hamburg, 2014, S. 121.

(12) この緊張関係については，次を参照。Jörn Leonhard, „Die Weimarer Republik als Metapher und geschichtspolitisches Argument", *Aus Politik und Zeitgeschichte*, 68/18-20, 2018, S. 11-18.

(13) Franz René Allemann, *Bonn ist nicht Weimar*, Köln, 1956（新版：Frankfurt a.M., 2000）.

(14) Leonhard, „Die Weimarer Republik".

にこだわりがちなドイツ人の常として，まずは歴史化がもつ方法論上の諸問題に立ち入ることをお許しいただきたい。ドイツ人歴史家について言えば，その答えは明白である。歴史化のために我々が必要としているのは，ラインハルト・コゼレック（1923-2006）をおいてほかにはいない！コゼレックが生涯をかけて成し遂げた仕事について深い尊敬の念を抱きつつも，ちょっとした皮肉以上のものとしてあえて表現すれば，彼のさまざまな理論 Idee はここ数年間，ドイツの歴史家にとって〔便利な〕万能兵器のようなものになってしまっている。私がそのようなことを強調するのは，コゼレックはイギリスにおいては（アメリカとは違って），いまだにほとんど知られていないのが実情だからである[15]。

歴史化についてのコゼレックの理論を利用するばあい，よく注意しなければいけないのは，そのさい彼の作品のうちどの研究を引き合いに出そうとしているのかという点である。つまり，歴史的意味論や概念史についての研究なのか，あるいは経験空間と期待の地平の交差についての研究なのか。従来行われてきた歴史化の試みは，明らかに概念史，「危機」という概念の歴史化に重点を置いてきている。モーリッツ・フェルマーとリューディガー・グラーフは2005年の重要な論文集で，そうした試みを初めて行った。彼らが指摘したのは，ほとんどの歴史家はこれまでヴァイマール共和国の「危機」というものを，客観的に存在する問題によって引き起こされた具体的な問題として語ってきたということであった[16]。しかしそれに対して重要なのは，概念史というものを視野に入れたうえで，「危機」という用語は（コゼレックが『歴史的基本概念』の当該項目で示したように[17]）末期的な混乱や無秩序を意味しているのではなく，伸るか反るかの瞬間，つまり回復するかもしれないし亡くなるかもしれない患者のように，その後どうなるかわからないような状況を意味しているのだと想起することなのだと，彼らは指摘したのである[18]。

リューディガー・グラーフはこうした基本的な考えを，2008年のきわめて刺激的な，正当にも賞を受けた「ヴァイマール共和国の未来」に関する研究で，さらに発展させた[19]。概念史的な議論を展開するなかでグラーフは，危機はナラティヴとして生み出された現象として理解されなければならないこと，つまり記述を通じて，そして記述のなかで構築されるものであることを主張した。ヴァルター・ルットマンが1927年に制作した映画『大都会交響楽』の一場面が示すように，「危機」のメディアによる構築は，すでに当時から知られていた。〔この映画のワンシーンでは〕印刷されたばかりの新聞が輪転機から排出され，日刊紙の見出しが次々と聴衆の目の前で映し出されるのだが，その見出しでは，「株式市場」，「殺人」，「結婚」といった言葉のほかに，「危機」という言葉が躍っている[20]。ナラティヴによって構築された「危機」というこのような考えをもとに，グラーフは「危機」に対する知識人の態度表明や，日刊紙における「未来」の描写など幅広い史料に当たり，1918年から1933年の人々のあいだでは圧倒的に楽天的な未来像が支配的であったという，彼の基本的なテーゼを展開した。グラーフによれば，「危機」はしばしば用いられたキーワードであった。しかし当時の人々の言葉遣いにおいてこの言葉が意味していたのは，これからどうなるかわからない，実験的な要素を含んだ行動の状況であった。そして，〔ヴァイマール〕共和国を過去のものにしてしまおうという意図でこの概念を用いた，たとえば国粋右派の雑誌『タート』に寄稿していたジャーナリスト，ハンス・ツェーラーのような人は，それによって意図的に「行動を要求する非常事態」を生み出す，つまり二項対立的な「あれかこれか」の状況のなかで，共和国の破壊によって危機を解決しようとしたのである[21]。

しかし，ヴァイマール共和国の終焉をもたらすために，突撃隊の褐色シャツ隊員たちには知識人やジャーナリストの助けが本当に必要だったのだろうか？　彼らが街頭でユダヤ人や共和国支持者，社会主義者たちに暴力行為を働くことで，それを事実上成就させていたというのに。別の言い方をすれば，〔ここで問題となっているのは〕社会構造と意味論の両方を視野に入れるということなのだ。危機的状況にあるという診断はたしかにナラティヴの構造であり，これから起こりうるということでもあれば，振り返っ

---

(15) 参照，Reinhart Koselleck, *Futures Past. On the Semantics of Historical Time*, New York, 2004; 膨大に存在する二次文献については，とりあえず次の文献を参照。Hans Joas/ Peter Vogt (Hrsg.), *Begriffene Geschichte: Beiträge zum Werk Reinhart Kosellecks*, Frankfurt a.M., 2010. 概念史については，Willibald Steinmetz/ Michael Freeden, "Conceptual History. Challenges, Conundrums, Complexities", Steinmetz/ Freeden/ Javier Fernández-Sebastián (eds.), *Conceptual History in the European Space*, New York, 2017, pp. 1-46.

(16) Moritz Föllmer/ Rüdiger Graf, *Die "Krise" der Weimarer Republik: Zur Kritik eines Deutungsmusters*, Frankfurt a.M., 2005.

(17) Reinhart Koselleck, „Krise", Otto Brunner/ Werner Conze/ Koselleck (Hrsg.), *Geschichtliche Grundbegriffe. Historisches Lexikon zur politisch-sozialen Sprache in Deutschland*, Stuttgart, 1982, S. 617-650.

(18) 参照，Reinhart Koselleck, "Crisis", *Journal of the History of Ideas*, 67, 2006, pp. 357-400.

(19) Graf, *Die Zukunft der Weimarer Republik*.

(20) 参照，https://www.youtube.com/watch?v=0NQgIvG-kBM（2019年11月14日閲覧，このシーンが見られるのは，このバージョンでは45分あたりである。）

(21) Graf, *Krise der Weimarer Republik*, S. 374.

てみてあのときがそうだったということでもある。しかし，ドイツ文学者のヘルムート・キーゼルが正当にも反論したように，経済や政治といった領域における危機的状況というのは，同時代の人々によって単に「創造」されるだけでなく，「〔実際に〕経験される」ものでもあって，大量の失業者や蜂起の企て，政治的暴力といった「客観化可能な認識」は，こうした経験を特徴付ける現象の一部をなしている(22)。つまり私が言いたいのは，ここに概念史や歴史的意味論の限界があるということだ。概念史的な理念史は，ヴァイマール共和国研究で今日ふたたび流行しつつあり，すでに 1962 年にクルト・ゾントハイマーによって研究がなされた「反民主主義的思考」についても(23)，自由主義者たちについてもそうした研究がされているが，そうした研究の限界がそこでもあるのだ。

理念や言葉，概念は重要ではない，ということではない。だが私が付け加えたいのは，それらが効力を発揮するか否かは〔そうした理念や言葉の〕パフォーマティブな利用において初めて示される，ということなのだ。ヴァイマール〔共和国〕は〔一種の〕舞台であった。ベルトルト・ブレヒトの叙事詩的な劇場にとっても，あまり知られていない劇作家にとっても。そうしたうちの一人が，たとえばヨーゼフ・ゲッベルスであった。彼は 1923 年秋，政治のキャリアをスタートさせる前に，二つの劇を同時に執筆している。一つは「プロメテウス」とそのオリンピアの神々に対する反逆についてであり，もうひとつは「遍歴者」という題目で，イエスのこの世への帰還を扱っていた。ゲッベルスはこの劇で，「今日の病んだヨーロッパ」を描写しようとした(24)。しかし彼が提供するこの作品に興味を持つ劇場は，ケルンにもデュッセルドルフにもなかった。ゲッベルスの伝記は数あるにもかかわらず，若きゲッベルスが演劇，すなわち言語運用に示した関心と，演劇としてのプロパガンダの実践のあいだにつながりを見いだそうとするものが皆無であるのは，驚きである(25)。だが，言葉の力はそのパフォーマティブな利用によって満たされるということを理解していたのは，ゲッベルスだけではない。ティモシー・ブラウンによる，「ヴァイマール急進主義者」についての素晴らしい，しかしほとんど注目されていない研究が示しているのは，ベルリンにいる共産党やナチ党のヒラの党員たちがポピュリズムのイデオロギーを，どのようにデモやシュプレヒコール，手書きの風刺画において，パフォーマティブな劇として上演していたのか，労働者階級の「真の」声を代弁する存在としていかに互いに張り合っていたのか，ということであった(26)。

「危機」概念の歴史化はそれなりに有益であることを認めつつも，歴史的意味論であらゆることが説明できるという行き過ぎた要求に対しては，私は懐疑的である。だがそこで私が注目したいのは，コゼレックによって発展された「経験空間」と「期待の地平」という概念の組み合わせである(27)。ヴァイマール共和国を歴史化するというのはなにも難しいことではなく，英語で言うところの「後知恵(the benefit of hindsight)」を避け，1933 年までの歴史を，当時の人々の期待の地平から再構成するということなのだ。なぜなら 1923 年の人々も 1929 年の人々も，ヴァイマールという実験がどのような結末を迎えるか予測することはできなかったのだし，1930 年以降，ナチ党による脅威を警戒する声が高まっていった時期ですら，それは同じだったのだから。

1 政治

では，政治の領域におけるヴァイマールの歴史化は，どのようにして可能になるのだろうか。いくつかの可能性について，ごく簡潔に言及したい。まず第一の可能性は，共和国のために積極的に貢献した勢力の期待の地平を強調するというやり方である。1919 年に創建された公共団体〔国家〕は一般の認識において長らく，「共和派なき共和国」と評価されてきた。こうした見解の代表的人物がトーマス・マンであり，彼は 1922 年の講演「ドイツの共和国について」において，「市民なき悲惨な国家」としてこれを描き出した(28)。別の言い方をしたのが〔歴史家〕デートレフ・ポイカートであり，彼の議論によれば共和国には，1789 年 7 月 14 日のフランス〔バスティーユ襲撃〕や，1871 年 1 月 18 日のヴェルサイユ宮殿「鏡の間」でのドイツ帝国創建に匹敵するような「正統化のための創立神話」

(22) Helmuth Kiesel, *Geschichte der deutschsprachigen Literatur 1918-1933*, München, 2017, S. 90f.
(23) クルト・ゾントハイマー（河島幸夫／脇圭平訳）『ワイマール共和国の政治思想――ドイツ・ナショナリズムの反民主主義思想』（ミネルヴァ書房，1976 年）；次も参照，Ricardo Bavaj, *Von links gegen Weimar: Linkes antiparlamentarisches Denken in der Weimarer Republik*, Bonn, 2005.
(24) Peter Longerich, *Goebbels. A Biography*, London, 2015, p. 32.
(25) 政治の言語運用に関する重要な論考として，以下を参照。Wolfgang Hardtwig, „Performanz und Öffentlichkeit in der krisenhaften Moderne. Visualisierung des Politischen in Deutschland 1900-1936“, Herfried Münkler/ Jens Hacke (Hrsg.), *Strategien der Visualisierung. Verbildlichung als Mittel der politischen Kommunikation*, Frankfurt a.M. / New York, 2009, S. 71-92.
(26) Timothy Brown, *Weimar radicals: Nazis and Communists between Authenticity and Performance*, New York, 2009.
(27) Reinhart Koselleck, “Space of Experience and Horizon of Expectation: Two Historical Categories”, Koselleck, *Futures Past*, pp. 255-275.
(28) 以下に引用されている。Kiesel, *Geschichte der deutschsprachigen Literatur*, S. 112.

が欠けていたという。そして，英雄的な創造という栄光がこのように欠けていたことが，「正統性が，つまり新しい秩序との積極的な自己一体化が，全般的に不足していた」ことの原因とされるのである(29)。

だが私は，ナディーヌ・ロッソルやマヌエラ・アキレスなどとともに，このテーゼには強く異論を唱えている。アキレスとロッソルはとりわけ〔ヴァイマール共和国下では祝日であった〕8月11日の憲法記念日の祝典について言及し，共和国の秩序に正統性を与えようとする努力において，共和国はこの機会をとらえ，象徴的な儀礼性という行為において非常に大きな成功を収めていたことを示した(30)。ロッソルと私がとくに注目するのが，1924年2月に設立された，「国旗団・黒赤金」である。ヴァイマール連合（社会民主党，中央党，民主党）の諸政党によって設立された，「共和派の戦争参加者による同盟」であった。そのさい私にとってとくに重要なのが，国旗団の男性たちを規定していた経験空間と期待の地平の交差である。国旗団メンバーの三分の二は退役軍人であり，彼らにとってのヴァイマール共和国建国神話は，逆説的なことに1918年11月11日〔第一次世界大戦の休戦協定締結日〕であった。テューリンゲンの小都市に住んでいた国旗団員フリッツ・アイネルトは，彼の戦争経験について1926年に記した草稿の中で，その点について力説している。

「休戦は，すさまじい苦しみや欠乏からの解放の瞬間でもあり，しかしプロイセン軍国主義からの解放の瞬間でもあった。我々はまだ当時戦い続けることができたなどと主張する者がいるとすれば，その人間は，前線についてまったく何も見たことがないというのを〔自ら〕証明しているようなものだ」(31)。

アイネルトや数十万人のほかの国旗団員にとって，共和国は君主制の崩壊をもたらし，戦争の「苦しみ」に終止符をうち，ふつうの人々に発言権を与えたという点で，必要かつ正当なものであった。共和国が右派急進主義者やナショナリストの陣営，それらの組織（鉄兜団，青年ドイツ騎士団，在郷軍人会）や指導者たちによって脅威にさらされているということを，彼は自分の故郷の町で，きわめて

『前進』第426号，1924年9月10日。「エゴン，こんなこと〔やってくる機関車「国旗団・黒赤金」に手りゅう弾を投げつける〕をしたら，俺たち自身がお陀仏になると思うんだがなあ」

正確に観察していた。彼が国旗団に参加したのは，共和国が危機にさらされているという，まさにこの認識ゆえであった。社会民主党の〔機関紙〕『前進〔フォアヴェルツ〕』がこの風刺画で描いているほどには，おそらく彼は楽観的ではなかった。二人のナチが，全速力で進んでくる国旗団「列車」を非常に恐れて後ずさりしようとしている様子を描いている(32)。

だが，国旗団に参加し，この組織をヴァイマール共和国最大の大衆組織の一つへと押し上げた他の百万人弱のメンバーと同様に，1926年時点のアイネルトは，共和国の敵が主導権を握るかもしれないなどとは思ってもいなかったし，未来に対するイメージを書き換えなければいけないとも考えてはいなかった。こうした当時の人々の期待の地平を，歴史化を通じて明るみに出すことが重要なのである。

しかし，期待という問題を政治システムの問題として捉え直すことによって，歴史化という作業を別のやり方ですすめることも可能である。ニクラス・ルーマンのシステム理論に依拠することでこれを行ったのが，トーマス・メルゲルである。ヴァイマール共和国の問題は一般的に「過大

(29) Detlev J. K. Peukert, *Die Weimarer Republik. Krisenjahre der klassischen Moderne*, Frankfurt a.M., 1987, S. 15.（デートレフ・ポイカート〔小野清美／田村栄子／原田一美訳〕『ワイマル共和国――古典的近代の危機』〔名古屋大学出版会, 1993年〕, 11頁を参考にした。）

(30) Benjamin Ziemann, *Contested Commemorations: Republican War Veterans and Weimar Political Culture*, Cambridge, 2012; Manuela Achilles, "With a Passion for Reason: Celebrating the Constitution in Weimar Germany", *Central European History*, 43, 2010, pp. 666-689; Manuela Achilles, "Anchoring the Nation in the Democratic Form: Weimar Symbolic Politics beyond the Failure Paradigm", Goeff Eley/ Jennifer Jenkins/ Tracie Matysik (eds.), *German Modernities from Wilhelm to Weimar: A Contest of Futures*, London / New York, 2016, pp. 259-281; Nadine Rossol, *Performing the Nation in Interwar Germany: Sports, Spectacle and Political Symbolism 1926-1936*, Basingstoke, 2010.

(31) 以下に引用されている。Ziemann, *Contested Commemorations*, pp. 119f.

(32) この風刺画は，次にも載っている。Ziemann, *Contested Commemorations*, p. 69.

な要求を課された」点にあるとされており，ウルズラ・ビュットナーはその包括的な概説において，もっぱらこの観点から叙述を行って，「過大な要求を課された共和国」としてこれを描写している[33]。だが共和国に対する「過大な要求」はどこに由来するのだろうか。たしかに，巨額の賠償金支払いや，失業保険などへの支出といったいくつかの外的要因を挙げることができる。それに対してメルゲルが提案したのは，過大な要求という問題を，主観的な期待が裏切られたという観点から捉え直すということであった。ヴァイマール憲法は，人間の平等を目指して広範囲な約束を行い，その平等を実現するために社会国家的な手段を用いたこと，そして政治家たちが国会においてこの平等という約束をレトリック的に〔利用したことが〕まさに原因となって，政治システムが平等という問題について納得のいく政策を打ち出してくれるのではないかという〔人々の〕期待を高めた。つまり過大な要求とは，過度の期待が裏切られたという点にあったのだ[34]。

そして，ヴァイマール共和国の政治を歴史化する第三の方法について触れたい。ヴァイマール共和国についての多くの概説においては，政治や政治的行為がきわめて限定的なかたちでしか視野に入れられておらず，これは重大な欠陥である。たとえば経済界や政界の市民層エリートが道徳的に退廃していたことが糾弾され，彼らはファシスト右派による破壊を無為に傍観するか，あるいは（ブリューニングのような）誤った政策によって，その破壊をさらに進めたのだとされる[35]。こうした糾弾は，たしかに正当なものである。〔だが〕そうした叙述の本当の問題は，密室で取引するエリートたちに視野が限定され，政治的な参加の広がりというところに目が向けられないという点にある。

そうではない叙述がいかに可能なのかを示したのが，ヨーアヒム・ヘバーレンによる著作『日常における信頼と政治』である[36]。彼はこの本のなかで，〔ドイツの〕ヴァイマール共和国末期，そして〔フランスの〕第三共和政から人民戦線までの時期における社会民主党，共産党の労働者たちについて，それぞれライプツィヒとリヨンを事例として研究を行っている。ヘバーレンの分析において中核的な地位を占める信頼という概念にも，期待についての問いが埋め込まれている。ヘバーレンの問いは，共和国が危機に瀕した場合，右派に対して一丸となって協力できると，労働者たちは同じ町に住む階級の同志たちに対して一定程度期待することができたのだろうか，というものである。リヨンについては，期待できたというのが彼の答えである。なぜなら，とくに現地の労働組合連合が，労働者運動の政策に大きな影響力を持っていたからだ。それに対してライプツィヒでは，社会民主党も共産党も政党としての動員能力は高く，高度に組織化されていたが，まさにこの動員こそが問題となっていった。というのも，労働者の階級としての利害よりも，政党としての利害の方が最終的には優先されたからである。共産党のスパイが社会民主党や国旗団にも入り込んでおり，そのことがナチスに対してともに立ち向かううえで必要な信頼関係を掘り崩していたのだ。こうして，ヴァイマール社会全体の一般的特徴である全面的政治化 Fundamentalpolitisierung がもたらしたネガティブな帰結を指摘することで，なぜ 1932 年から 1933 年にかけて労働者政党による統一行動は行われなかったのかという古い問いにたいしても，新たな答えを得ることができる。

政治領域においては，ほかにもあらたな試みがなされつつある。たとえば，法律家や法制史家は，ヴァイマール憲法にたいして十把一絡げに否定的な評価を下すのではなく，その長所や短所も含めたより複雑な解釈を施そうという努力を，目下続けている[37]。それはたしかに有益な試みである。だが 1918 年から 1933 年にかけての政治的なるもののダイナミクスは，国制〔憲法〕という枠組みや内閣による政治に由来するものではない。このダイナミクスはむしろ，地域的なミリューや生活世界において生まれ，そのなかでさまざまな社会集団が，自分たちの正当性を認めてもらおうと戦い，彼らなりの共同体形成のかたちを防衛し，社会的な争いを公的な演説やデモという演劇へと翻訳したのである。単純化して言えば，ヴァイマール共和国において重要だったのは，言葉よりも行為だったのだ。

(33) Ursula Büttner, *Weimar: Die überforderte Republik 1918-1933; Leistung und Versagen in Staat, Gesellschaft, Wirtschaft und Kultur*, Stuttgart, 2008.

(34) 参照，Thomas Mergel, “High Expectations – Deep Disappointment. Structures of the Public Perception of Politics in the Weimar Republic”, Kathleen Canning/ Kerstin Barndt/ Kristin McGuire（eds.）, *Weimar Publics/ Weimar Subjects: Rethinking the Political Culture of Germany in the 1920s*, New York, 2010, pp. 192-210.

(35) これはたとえば，以下の著作においてはその核心をなすテーマである。Hans Mommsen, *Aufstieg und Untergang der Republik von Weimar, 1918-1933*, Berlin, 1998（1. Aufl. 1989）.

(36) Joachim C. Häberlen, *Vertrauen und Politik im Alltag: die Arbeiterbewegung in Leipzig und Lyon im Moment der Krise 1929-1933/38*, Göttingen, 2013；次も参照，Häberlen, “Rooms of Maneuver and Political Options: The German Working-Class Movement and the Rise of Nazism”, *Politics, Religion & Ideology*, 14, 2013, pp. 377-394.

(37) 参照，Horst Dreier/ Christian Waldhoff（Hrsg.）, *Das Wagnis der Demokratie. Eine Anatomie der Weimarer Reichsverfassung*, München, 2018.

2 文化

それでは第二の論点，ヴァイマール共和国の文化に移ろう。文化の領域では長いこと，文学，建築，映画におけるモダニズムの輝かしい成果に対するノスタルジー的な回顧が支配的であった。その点で，ピーター・ゲイが1968年のヴァイマール文化に関する著作で与えた影響は大きかった[38]。この本を一読して気づくのは，同書できわめて明白に息づいている歴史主義の精神であり，その点において，ゲイがヴァイマール共和国の指導的歴史家として何度も名前を挙げているフリードリヒ・マイネッケの著作と，ほとんど異なるところがない。この本では，偉大な芸術家が英雄的な個人として扱われ，彼らの卓越した業績が中心に置かれている。つまりこの本は，〔そうした卓越した業績という〕山の峰々をたどっていく精神史なのだ。この本に欠けているものは，こうした卓越した業績がどのような，その分野に特有の文脈のなかで成立したのかを再構成するという営みであり，同時に今日では忘れ去られてしまっている芸術作品の制作というすそ野の領域への視点である。たとえば文学では，出版社，書店，書評を行う組織，建築では都市計画，公的住宅建設，社会改革といった問題である。ゲイが言及しているのは，〔映画会社の〕ウーファと，出版帝国ウルシュタイン社だけである。しかし，こうしたモダニズム芸術の英雄たちに焦点を絞ることは，根拠なく行われたことではない。それは，エリック・ヴァイツが2007年に刊行した概説においても，なお見出しうることである[39]。なぜなら，ゲイにとっても，またヴァイツにとっても，ヴァイマールの高尚文化への称賛的視点は共和国の政治の悲惨さの対極として必要なものであった。ヴァイツはこの点，ちょうど2つの比喩的な言い換えを行っている。彼はヴァイマールを「明るい展望」と「悲劇」の2つの極の狭間にあると見ており，輝ける未来の約束は――政治の悲惨とは対照的に――なによりもモダニズム文化によって担われるものであると考えた。ヴァイツの議論はさらに進んで，ある換喩を提示している。すなわち，「ヴァイマールはベルリンであり，ベルリンはヴァイマールであった」と[40]。アヴァンギャルド文化の中心としてのベルリンは，全体を象徴するものとして，共和国全体の文化的業績を示すものとされるのである。しかし，このような解釈は以前から長らく通用してきたものであり，それをもってヴァイツを批判することは，あまりに短絡的であろう。こうした論点はポイカートが1987年に採ったものでもあった。彼にとっても，ヴァイマールを刻印する「文化的アヴァンギャルドの成果が示す楽観的な未来像と，政治，社会的な悲惨の悲観的なヴィジョンの矛盾は」（…）「それが「時代」を特徴づけているだけに止揚し得ない」ものである，ということは既定のことであった（ただし，ポイカートは両極の「調停」を「試みることは可能であった」とも提言している[41]）。

この区分の枠内で議論すれば，論の向かう先は現在化に他ならない，ということになる。というのも，ヴァイマールの高尚文化には，それが現在においてもモダニズム芸術の造形力の一例として認められるがゆえに，その分大きな関心が寄せられるからである。それに対し，1920年代の文化の歴史化に必要なのは，こうした現在化の試みの中に埋め込まれている対置から距離をとることである。「煌めきと破滅を超えて」と，ヨッヘン・フンクはこの模索の動向を適切に表現している[42]。しかしそれは何を意味するのであろうか。これに対し私は，簡潔かつ暫定的な回答を2つ提示することにしたい。

それは第一に，ヴァイマール文化を象徴する代表的な作品から文化的生産活動全体へと視点を移すことである。映画の領域においては，『ノスフェラトゥ』（1922年）や『メトロポリス』（1927年）のような作品が，ヴァイマール映画史の代表作としてつねに関心の中心にあり，それは現在に至るまで多くの部分的借用や完全なリメイクにおいても示されている。そのなかでもとくに『メトロポリス』は，こうした現在の関心と当時の現実がいかに乖離しているのかを示すよい例である。『メトロポリス』は興行上では失敗作であり，制作会社であるウーファは破産寸前にまで追い込まれたが，アルフレート・フーゲンベルクのメディア・コンツェルンが経営を引き継ぐことで難を逃れることができたのである。1920年代当時のドイツの都市の映画館を占拠したのは他の作品であった。それは今日完全に忘れ去られた三文映画であり，そこでは前近代的な煉瓦風ロマンティシズムの舞台設定において，キッチュな恋愛話が展開され，観客は涙に誘われた[43]。付言すれば，この娯楽の浅薄な形態は「第三帝国」における大衆文化を予告し

(38) ピーター・ゲイ（亀嶋庸一訳）『ワイマール文化』（みすず書房，1999年）。
(39) Erich Weitz, *Weimar Germany: Promise and Tragedy*, Princeton, 2007.
(40) Ebd., S. 79. さらに詳細な批判として，以下を参照。Benjamin Ziemann, “Weimar was Weimar. Politics, Culture and the Emplotment of the German Republic”, *German History*, 28, 2010, pp. 542-571.
(41) ポイカート『ワイマル共和国』。
(42) Jochen Hung et al. (eds.), *Beyond Glitter and Doom*.
(43) Karl-Christian Führer, “High brow and low brow culture”, Anthony McElligott (ed.), *Weimar Germany*, Oxford, 2009, pp. 260-281, here pp. 273f.

たものともいえ，そこではこの映画ジャンルが支配的であった。いずれにしても，ここに見られるのは多くの「煌めき」というよりは，むしろ紙吹雪であったといえよう。

他の例として挙げられるのは，文学，とくに戦争文学である。どれほど多くのドイツ文学，文化史の研究が，フランツ・シャウヴェッカーやエルンスト・ユンガーの戦争肯定的な著作に取り組んできたことであろうか。まさにユンガーの『鋼鉄の嵐のなかで』は，1970年代，80年代のドイツのカルト本ともいえる，クラウス・テーヴェライトの『男たちの妄想』における重要性によって，ヴァイマール文化の「鋼鉄のように堅固な」兵士的男性像の支配的地位を証言する最も重要な根拠の1つとなった(44)。精神史的に見れば，たしかにユンガーは重要なメタファーを刻印した。しかし受容史的に見れば，1928年までの『鋼鉄の嵐のなかで』の販売部数は2万5千部を超えておらず，その影響は大きなものとはいえない。では一体，レマルクの『西部戦線異状なし』が劇的な商業的成功によって，戦争文学というジャンル全体に衝撃を与えるまで(45)，ヴァイマール期の人々が戦争について読んでいたものとは何であったのだろうか。1つの答えとして言えることは，彼らが読んでいたのは，社会民主党の教育行政官ヴィルヘルム・アペンスの『シャルルヴィル』や，アナーキストにして平和主義者であるハインリヒ・ヴァントのスキャンダル本『兵站基地ヘント』といった，「準文学的」な叙述であった(46)。後者は1920年に第1巻が，そしてヴァントが反動的な司法が課した何年にもわたる拘留から釈放された後，1928年に第2巻が刊行された。2つの作品とも，文学的には取り立てて価値のあるものとはいえず，万華鏡的に構成された告発書であり，そこではベルギー，北フランスの後方占領地域におけるドイツ軍将校の道徳的，金銭的な腐敗が攻撃されていた。芸術的な付加価値はわずかであった。しかしそれは2つの作品の成功を損なうものではなかった。1928年までに発行された版を合計すれば，販売部数は30万に及んでいる。なぜ当時の人びとはユンガーではなくこれらの本を興味深く読んだのか，理解する必要があるであろう。こうした視点の歪曲に関するもう1つの，きわめて強力な例が，エミール・ルートヴィヒである。近年のヴァイマールの文学史の概説において，彼はついでに数行で言及されるに過ぎない(47)。今日，専門の歴史家もほとんどの場合，彼の歴史的伝記作品を軽薄で皮相なものと決めつけたヴァイマール時代の有力かつ大学で教鞭を執る歴史家たちのキャンペーンによる犠牲者としてのみ知っているに過ぎない(48)。実際のところ，エミール・ルートヴィヒはヴァイマール共和国で最も買われ，最も読まれた作家の一人であり，影響力のあるジャーナリストにして観察者，そしてまた1920年代の演劇舞台においてその作品が最も上演された同時代の劇作家の一人でもあった。彼の幅広い芸術作品と政治評論に新たにアプローチすることは，ヴァイマール共和国の文学界に新たな視点を投げかけることを可能にするであろう(49)。

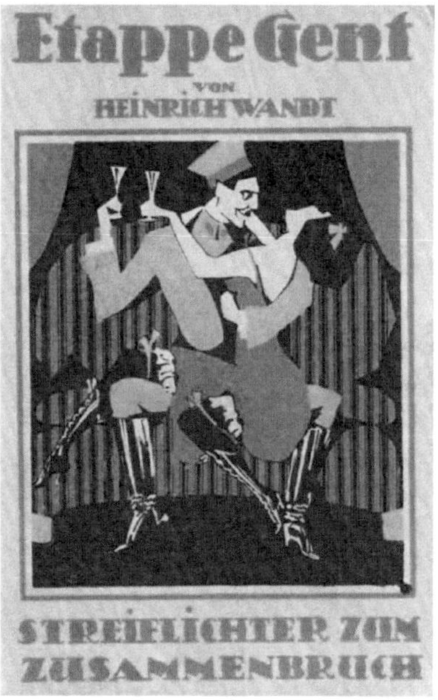

ハインリヒ・ヴァント『兵站基地ヘント』第1巻（1920年刊）

(44) クラウス・テーヴェライト（田村和彦訳）『男たちの妄想〈2〉男たちの身体――白色テロルの精神分析のために』（法政大学出版局，2004年）。

(45) レマルクの受容について，画期的な研究として以下参照。Thomas F. Schneider, *Erich Maria Remarques Roman „Im Westen nichts Neues". Text, Entstehung, Distribution, Rezeption 1928-1930*, Tübingen, 2004.

(46) 以下からの引用。Kiesel, *Geschichte der deutschsprachigen Literatur*, S. 527. この2つの作品については，以下を参照。Benjamin Ziemann, „‚Charleville' und ‚Etappe Gent'. Zwei kriegskritische Bestseller der Weimarer Republik", *Krieg und Literatur/War and Literature*, 23, 2012, pp. 59-82.

(47) このことは包括的であり，また多くの点で有益な以下の概説においても同様である。Kiesel, *Geschichte der deutschsprachigen Literatur*, S. 269, 1210. ザビーナ・ベッカーのヴァイマール文化に関する注目すべき解釈も，ルートヴィヒの成功については短く言及しているものの，内容について彼の文章を考察するには至っていない。Sabina Becker, *Experiment Weimar. Eine Kulturgeschichte Deutschlands 1918-1933*, Darmstadt, 2018, S. 131, 256.

(48) 参照，Sebastian Ullrich, „Ernst H. Kantorowicz und Emil Ludwig. Zwei Kritiker der Weimarer Geschichtswissenschaft und die ‚Krisis des Historismus'", *Sozial.Geschichte N.F.*, 21, 2006, S. 7-33.

(49) ルートヴィヒの作品についての近年の包括的な研究として，以下の雑誌の別冊を参照。*NonFiktion*, 11 (2), 2016. 同誌には以下の拙稿が掲載されている。Benjamin Ziemann, „Der elitäre Republikaner. Emil Ludwig als politischer Publizist in der Weimarer Republik",

ヴァイマール文化の歴史化について第二の点として挙げるべきは，教養の文化的重要性である。新人文主義において個人の完成と理解された教養は，18世紀後半以来，市民層の文化理解の決定的な基盤であったのみならず，社会主義労働運動のなかにも浸透し，帝政期には運動の目的に適合した人文主義的価値の変種として取り込まれることになる。はっきりしているのは，1914/18年以降，教養とその中核をなす教養知〔物事の本質を理解する能力〕が危機に陥ったということである。しかし，その危機とはどこに存在していたのであろうか。このこともまた，概念史を手掛かりとすることによって，教養理念の自己確信の喪失や内容的な空虚化に伴い，ロマン主義的な非合理主義が台頭することになると分析することができる(50)。これに対し，伝統的な社会史は，1933年に至るまで大学生の数は増加しており，教養は決して危機に陥ったわけではない，と反論している(51)。しかし，私から見れば，こうした議論はあまり発展性のあるものではない。重要だと思われるのは，教養の意味論に立ち返ることで生み出された緊張である。それは一つには社会主義労働運動において示されている。そこにおける文化団体――読書協会，労働者合唱協会，演劇団体など――は，ヴァイマール共和国時代にさらなる発展と，メンバー数の増加を経験した。しかし同時にまた，とりわけ若者たち――ただし彼らに限られたわけではない――が，教養理念の社会主義的変種に対しもはや応答しようとはせず，むしろ映画，ラジオ，通俗小説のような大衆文化的なモダニティーに関心を示していたということを，これらの団体は目の当たりにすることになった(52)。また別の緊張は，エルンスト・ブロッホやフランツ・ローゼンツヴァイク，ヴァルター・ベンヤミンといったユダヤ系の芸術家や知識人たちにおいて見られることであった。彼らはリベラルな教養理念を黙示録的，ないし救世主的な思考の強調によって克服しようとし，それによってヴァイマール時代の文化に重要な寄与を果たすことになる(53)。

3 社会

最後に，第三の点として，ヴァイマール共和国の社会構造と社会動態について見ておくことにしたい。ここでは政治や文化以上に，現在化を回避し，歴史化を進めることは厄介なことである。それには十分な理由がある，と私は考える。1918～1933年の時期を刻印する社会構造と我々の現在のそれとの近さ，言い換えればヴァイマールの現代性がその理由である。この近似性は，多くの点で，デートレフ・ポイカートの「古典的近代の危機」としてのヴァイマール共和国という解釈の中心的なテーマである(54)。この概念は，ポイカートがそれを作り出した1987年当時，ドイツ特有の道論の社会史的変種から距離をとる，という戦略的な意味を有していた。この社会史的特有の道論は，農民，そして広く農村世界全体における伝統的な社会，精神構造の停滞，さらには雇用者たちの身分制的な思考様式の要素によって生じた近代化のアンバランスの結果として，共和国がハンディキャップを背負っていたと解釈した。これに対しポイカートは，ヴァイマールが直面した困難は近代化の危機，すなわち近代化の不十分さではなく，むしろ近代の危機である，と主張した。

古典的近代としてのヴァイマールというポイカートの議論は，完全に説得的であるというわけではない。というのも，この概念の出自である芸術や建築，そして社会構造において，「古典的」な近代はすでに19世紀の終わりごろまでには出現していたからである。この近代に刻み込まれた危機の認識をいち早く1896年に定式化したのは，若きプロテスタント神学者エルンスト・トレルチであった。彼は

NonFiktion. Arsenal der anderen Gattungen, 11, 2016, S. 97-118; さらに次も参照。Nicolas Berg, „Biografische Projektionsräume – Emil Ludwig im deutsch-jüdischen Wissenskontext“, *Jahrbuch des Simon-Dubnow-Instituts*, 16, 2017, S. 293-321.

(50) Reinhart Koselleck, „Zur anthropologischen und semantischen Struktur der Bildung“, Koselleck (Hrsg.), *Bildungsbürgertum im 19. Jahrhundert, Bd. 2: Bildungsgüter und Bildungswissen*, Stuttgart, 1990, S. 11-46；この点についての議論として，次も参照。Dieter Langewiesche, „Bildungsbürgertum: Zum Forschungsprojekt des Arbeitskreises für moderne Sozialgeschichte“, Manfred Hettling/ Richard Pohle (Hrsg.), *Bürgertum: Bilanzen, Perspektiven, Begriffe*, Göttingen, 2019, S. 37-57.

(51) Klaus Tenfelde, „Stadt und Bürgertum im 20. Jahrhundert“, Tenfelde/ Hans-Ulrich Wehler (Hrsg.), *Wege zur Geschichte des Bürgertums*, Göttingen, 1994, S. 317-353.

(52) Dieter Langewiesche, „Politik - Gesellschaft - Kultur. Zur Problematik von Arbeiterkultur und kulturellen Arbeiterorganisationen in Deutschland nach dem 1. Weltkrieg“, *Archiv für Sozialgeschichte*, 22, 1982, S. 359-402; Dieter Langewiesche, „Das neue Massenmedium Film und die deutsche Arbeiterbewegung in der Weimarer Republik“, Jürgen Kocka/ Hans-Jürgen Puhle/ Klaus Tenfelde (Hrsg.), *Von der Arbeiterbewegung zum modernen Sozialstaat. Festschrift für Gerhard A. Ritter zum 65. Geburtstag*, München, 1994, S. 114-130.

(53) 参照，Steven Aschheim, “German Jews beyond Bildung and Liberalism. The Radical Jewish Revival in the Weimar Republic”, Niels Roemer (ed.), *German Jewry. Between Hope and Despair*, Boston, 2013, pp. 232-258.

(54) ポイカート『ワイマル共和国』。ポイカートのヴァイマール共和国解釈については，包括的に検討されたことはほとんどない。その一側面にのみ触れたものとして，Thomas Etzemüller, „Hatte die Moderne ein ‚Janusgesicht‘? Eine kritische Betrachtung aus (nord-) europäischer Perspektive“, Rüdiger Hachtmann/ Sven Reichardt (Hrsg.), *Detlev Peukert und die NS-Forschung*, Göttingen 2015, S. 112-125.

ある神学の会議において咄嗟に語ったコメントのなかで，「みなさん，すべては動揺しているのです」と主張した(55)。ヴァイマール共和国の方がはるかに「動揺していた」ことを認めるにせよ，いったいどこで，という問題は残る。ポイカートは，マックス・ヴェーバーの形式合理性の全面的貫徹という議論に依拠している。これは依然として有益な視点であり，経済における合理化と機械化——とりわけ生産性を著しく向上させた鉱山業——から，社会国家の領域における「社会工学」を経て，1920年代のセクシュアリティや性教育における合理化の傾向にいたるまで適用可能である。

同様に有益であると思われ，またポイカートの議論をすでに超えたものとなるのが，現代社会の構造と危機を個人というテーマを通して分析しようとする試みである。これもまた，1920年代になって新たに生じる視点であるわけではない。すでにゲオルク・ジンメルは——世紀転換期に出現した大都市生活に関連して——，個人〔個性〕というものを「社会集団の交差」の帰結であると理解していた。それに接合しつつ論じているのが，モーリッツ・フェルマーの『ベルリンにおける個人〔個性〕と近代性』である(56)。彼は，公共の言説と社会的実践において，さまざまな要求の定式化として個人というものがいかに強力に前面に押し出されているのかを示している。たとえば，消費，余暇の過ごし方，生活様式の実践などにおける機会実現の要求などである。そしてフェルマーはまた，個人化の裏面，すなわちアノミー的状況のなかでの逃げ道の不在も指摘している。ヴァイマール時代に激しく議論されたテーマである自殺は，その一例であるといえよう(57)。個人化というテーマが重要なのは，共同体イデオロギーというものが，その包摂的な変種である民主国家 Volksstaat であれ，あるいは排除的変種である民族共同体 Volksgemeinschaft であれ，ヴァイマール時代には優位に立っていたのだという印象に対し，反論の余地を与えるものであるからでもある。むしろ問われるべきは，民族共同体がますます攻撃的に宣伝されることになったのは，個人と個人化が20年代のドイツ社会にとってそれだけ重要な特徴であったということに対する応答だったのではないか，ということではないだろうか。

合理化と個人化は社会の近代性の2つの重要な側面である。ここでさらに3つ目の側面を挙げれば，それは機能分化である。その1つの例となるのが，1931年5月17日，〔ベルリン・〕ダーレムの聖アンナ教会で行われたマルティン・ニーメラー（1892～1984年）のいわゆる「見習い採用」である。1933年以降，告白教会の指導的メンバーとして世界的に有名になるニーメラーはこれによって，新たな牧師として教区に送り込まれることになった。教理問答の練習以外にも，彼は『ヨハネの福音書』第15章第26節（「わたしが父のみもとからあなたがたにつかわそうとしている助け主〔，すなわち，父のみもとから来る真理の御霊〕が下る時」）についての試験的説教を行った。そこでニーメラーは，福音書の伝道使命において根拠づけられた「攻撃命令」を説き勧めている。それによって彼は，自身の言葉によれば，「あらゆる領域における自律性の貫徹」に，そして「神なき者たちの鬨の声『こいつを〔十字架に〕やれ！』〔イエスを釈放しようとした総督ピラトに反対する群衆たちの叫び声〕」に対峙したのである(58)。

それはいったい何を意味していたのであろうか。「自律性」という言葉によって，エルンスト・トレルチのような文化プロテスタンティズムの代弁者たちは，次のような観察を総称していた。すなわち，近代社会において，学問，マスメディア，あるいは経済のような自立した文化領域が形成され，それらはその運用の自律的な制御において，もはや宗教的な方向付けや規範化を必要としないのだ，と(59)。ニクラス・ルーマンのような社会学者は，今日これを社会の機能分化と名づけている(60)。オットー・バウムガルテンのようなリベラルな神学者たちのなかには，1900年以降，この「自律性」を事実として確認するだけにとどまらず，宗教にあらゆる文化領域を包括する領分としての役割を課すことは避けるべきである，と主張する者もいた。こうしたキリスト教を分離された領分とみなすリベラルな理解に対し，ニーメラーはその説教において，すべての文化領域にとって規範的な方向付けとしての信仰の断固たる支配要求を対置したのである。

このことは，今日ではほとんど忘却されたプロテスタント的キリスト教の生活世界の周縁的なエピソードに過ぎない，と切って捨てられるかもしれない。しかし，ニーメラーの「自律性の貫徹」に対する告発——それは付言すれば1920年代のカトリック神学者の多くが共有していたも

(55) 参照，Reinhard Laube, *Karl Mannheim und die Krise des Historismus*, Göttingen, 2004, S. 43f.
(56) Moritz Föllmer, *Individuality and Modernity in Berlin: Self and Society from Weimar to the Wall*, Cambridge, 2013.
(57) Föllmer, "Suicide and Crisis".
(58) 参照，Benjamin Ziemann, *Martin Niemöller. Ein Leben in Opposition*, München 2019, S. 147-149.
(59) Martin Honecker, „Das Problem der Eigengesetzlichkeit", *Zeitschrift für Theologie und Kirche*, 73, 1976, S. 92-130.
(60) 参照，Niklas Luhmann, *The Differentiation of Society*, New York, 1982; Hartmann Tyrell, *Soziale und gesellschaftliche Differenzierung. Aufsätze zur soziologischen Theorie*, Wiesbaden, 2008.

のでもあった(61)――の背後には，機能分化が社会の支配的な構造原理となったのだという認識があった。宗教的な観察者たちはこの問題にとくに敏感であった。なぜなら，それは救済宗教の普遍的権威の主張に反するものであったからである。すでに取り上げた現代の他の特徴と同様，このこともヴァイマール特有の問題であったわけではない。それはむしろすでに世紀転換期には現れていた(62)。それでも，ヴァイマール共和国の社会にとってのその重要性を否定することはできないであろう。

ヴァイマールの社会と社会構造の歴史化が政治や文化の歴史化よりも困難であること，そしてなぜここでは現在化の観点が優位に立つのか，ということについて，ここまでで明らかになったのではないだろうか。いったいなぜか。それは，合理化，個人化，機能分化は今日なお社会の構造化の重要なメカニズムだからである。ヴァイマールの社会的発展傾向を観察すると，そこに我々はあたかも鏡のように，我々自身の現代性の中核的側面を見ることになるのである。ポイカートが行ったように，私たちはそこでこの形態の現代性に見られる問題状況を認識するために，危機概念という棍棒を振り回す必要はない。むしろ，ヴァイマール時代にも，現在においても見られる現代に内在する両義性について語る方がよいのではないだろうか。機能分化は成功モデルである。なぜなら，機能的特殊化を通してそれぞれの業績の複合性が向上するからである。しかし現代社会はこの利点を手に入れることによって，文化的な規範の包括的な枠組みの喪失という代償を支払うことになる。それは1931年でも今日でも同様である。合理化と個人化は1920年代においても，また現在においても，内在的な問題をもたらすのである。

今日，すなわちヴァイマール憲法制定100年後における共和国のイメージはどのようなものであり，それはどの方向へと発展していくべきであろうか。締めくくるにあたって，この点について3つの要約的なコメントを述べておくことにしたい。

第一に，過去20年間，ヴァイマールの歴史を1933年という終点から考察せずに叙述する試みが前面に出るようになった。私がこの試みを歓迎しているのは，私自身がそれに関与していたからということもあるが，それだけではない。こうした研究の重要な成果の1つが，ヴァイマール共和国の可能性は今日，ずっとポジティブなものとして評価されうるものであり，そして我々は共和国をその成立当初より言葉と行動で支援してきた何百万人ものドイツ人の歴史をよりよく知ることができる，ということである。ただし，そこには問題も存在する。その中核的な問題とは，ティム・B・ミュラーについて言及したように，この議論を極端に展開してはならない，ということである。共和国の歴史が，歴史家たちが長らく信じてきたよりも開放的であったとしても，1933年1月30日の終焉はたんなる「偶然」以上のものであった。さらなる――たとえばフランスやイギリスなどとの――比較研究が，このことをよりよく理解するための1つの可能な道筋となることは確かである(63)。しかし，ここで述べたように，概念史や民主主義の意味論の次元のみにとどまるのでは不十分である(64)。

第二に，過去40年間のヴァイマール共和国史研究を見渡してみると，方法的アプローチの変化が目に留まる。1970年代にはデイヴィッド・エイブラハム，ジェラルド・D・フェルドマン，ヘンリー・A・ターナーたちが，1930年以降の危機は独占資本主義の危機として，あるいはさらにいわゆる独占資本家の直接の介入による危機として説明できるかどうか，論争を繰り広げていた(65)。ほぼあらゆることが――ドイツ史に限らず――社会階級の概念によって説明されていたこうした時代に立ち戻りたいとは，おそらく誰も思わないであろう。ヴァイマール研究の発展は，文化史や歴史的意味論の台頭と軌を一にしており，このことは決して偶然ではない。しかし，文化史のブームによって失われたものもある，という2010年にエリック・ヴァイツが行った指摘を，私は共有する(66)。なぜなら，そこでは人びとが生きてきた物質的な環境や，労働の厳しさ，そして大恐慌の際に多くの人びとが体験した飢餓の痛切さ

(61) この点については，以下の優れた研究を参照。Marc Breuer, *Religiöser Wandel als Säkularisierungsfolge. Differenzierungs- und Individualisierungsdiskurse im Katholizismus*, Wiesbaden, 2012.

(62) Benjamin Ziemann, "The Impossible Vanishing Point. Social Differentiation in Imperial Germany", Sven Oliver Müller/ Cornelius Torp (eds.), *Imperial Germany Revisited. Continuing Debates and New Perspectives*, New York, 2011, pp. 37-50.

(63) この点に関する主要な取り組みとして，以下参照。Horst Möller/ Manfred Kittel (Hrsg.), *Demokratie in Deutschland und Frankreich 1918-1933/40. Beiträge zu einem historischen Vergleich*, München, 2002; Andreas Wirsching (Hrsg.), *Herausforderungen der parlamentarischen Demokratie. Die Weimarer Republik im europäischen Vergleich*, München, 2007; 部分的にのみ説得力を持つ論考として，以下を参照。Tim B. Müller/ Adam Tooze (Hrsg.), *Normalität und Fragilität. Demokratie nach dem Ersten Weltkrieg*, Hamburg, 2015

(64) にもかかわらず，このような傾向にあるものとして，Tim B. Müller, „Von der ‚Whig Interpretation' zur Fragilität der Demokratie. Weimar als geschichtstheoretisches Problem", *Geschichte und Gesellschaft*, 44, 2018, S. 430-465.

(65) 参照，Gerald D. Feldman, "The Weimar Republic: A Problem of Modernization?", *Archiv für Sozialgeschichte*, 26, 1986, pp. 1-26; David Abraham, "Constituting Hegemony: The Bourgeois Crisis of Weimar Germany", *Journal of Modern History*, 51, 1979, pp. 417-433.

(66) Eric D. Weitz, "Weimar Germany and its Histories", *Central European History*, 43, 2010, pp. 581-591, here pp. 590f; 政治史を歴史人類学的に補強することの必要性を以前から強調していたものとして，Wolfgang Hardtwig, „Einleitung: Politische Kulturgeschichte der

に対する感受性が失われてしまっているからである[67]。たしかに，物質的な困窮もまた，伝達が可能となるためには，象徴的な表象が必要であろう。しかし，飢餓の苦しみはまた，言葉なき感情として現実に存在するものでもある。今や，概念史とともに，ヴァイマール共和国の経験史や日常史もふたたびまた推進されることが求められているのではないだろうか。

第三に，皆さんが私の以上の議論を視点の多元化の弁明として理解していただけたのであれば，私の趣旨は正しく伝わったということになる。我々は，ヴァイマール共和国について語りうる数多くの歴史の複雑さをたった1つのキーワードやたった1つのメタファーに圧縮する誘惑に抗するべきである。1918年末から1933年初にかけて，ドイツでは多くの異なるプロセスが同時進行的に展開していた。なかには時計の針と共時化したものもあれば，そうはならず非同時的で，逆行的なままのものも存在した[68]。こうした――空間的，事柄的，文化的観点における――多様性や深遠さは，近代のみならず，まさに1933年以前のドイツ史にいっそう当てはまる重要な特徴である。この多様性を画一性のために暴力をもって均してしまうことになるのが，他ならぬナチ体制だったのである。

Zwischenkriegszeit", Hardtwig (Hrsg.), *Politische Kulturgeschichte der Zwischenkriegszeit 1918-1939*, Göttingen, 2005, S. 7-22.

(67) 参照，Alf Lüdtke, „Hunger in der Großen Depression. Hungererfahrungen und Hungerpolitik am Ende der Weimarer Republik", *Archiv für Sozialgeschichte*, 27, 1987, S. 145-176.

(68) ヴァイマール共和国の主題と問題としての非同時性について，以下を参照。Martin H. Geyer, „,Die Gleichzeitigkeit des Ungleichzeitigen'. Zeitsemantik und die Suche nach Gegenwart in der Weimarer Republik", Wolfgang Hardtwig (Hrsg.), *Ordnungen in der Krise. Zur politischen Kulturgeschichte Deutschlands 1900-1933*, München, 2007, S. 165-187.

ヴァイマール共和国 100 年
——そのアクチュアリティをめぐって

板橋拓己

1 「歴史の回帰」？

2019 年は，ヴァイマール憲法制定から 100 周年であるだけでなく，ベルリンの壁崩壊から 30 周年にもあたる。まずはこの 30 年から話を始めてみたい。

冷戦が終わろうとする頃，フランシス・フクヤマの「歴史の終わり？」という論説が一世を風靡した（のちに本にもなる）。フクヤマはこの論説で，東西対立の終焉は，単なる冷戦の終わりにとどまるものではなく，人類の社会文化とイデオロギーの進化における終わりでもあり，「西側の自由民主主義は，人類統治の最終形態として普遍化された」と論じた(1)。

しかしそれから 30 年，世界は混迷を極めている(2)。そしてわれわれは，「ポスト冷戦」とか「冷戦後」以外に，この 30 年間に適切な名前をまだ見出せてはいない。もちろん国際政治的には，1990 年代は普遍主義の時代，あるいは 00 年代はアメリカ「帝国」の時代と名付けられてきたかもしれない。しかしそのいずれもが短命に終わり，現在の国際秩序の性格規定は難しい。

国内政治的には，さらに位置づけが困難である。確実なのは，決して自由民主主義体制が勝利したわけではないことだ。新興民主国には民主主義が定着したとは言い難く，また先進民主主義諸国においてすら，「民主主義の後退」，さらには「民主主義の死」が取り沙汰されている。それを象徴するのは，それまで民主主義国の「模範」であったイギリスとアメリカで 2016 年に起こった出来事，すなわち EU 離脱をめぐる英国国民投票で離脱派が勝利したこと，そして当初は誰もが際物と思っていたドナルド・トランプが米大統領選で最終的に勝利したことである。

こうしたなか，ここ 10 年程，頻繁に「歴史の類推（アナロジー）」が用いられてきた。たとえば，中国の台頭を前にして，第一次世界大戦前のヴィルヘルム・ドイツと比較する向きは多かった。あるいは，ロシアによる国際秩序への挑戦，とりわけクリミア併合，ウクライナ危機などをうけて，「新しい冷戦」という言葉もよく目にするようになった。要するに，混迷の時代，見通しのきかない時代に，ひとは歴史に先例を求める。

2 「ヴァイマール状況 (Weimarer Verhältnisse)」？

ドイツにおいてもそれは例外ではない。そしてその中心となったのが，他でもない，本日のテーマである「ヴァイマール」である。

昨今のドイツのメディアで，「ヴァイマール状況」，あるいは「ヴァイマールの亡霊（Gespenst von Weimar/W-Gespenst）」(3)という見出しを目にすることは少なくない。つまり，われわれの現在の状況は，ヴァイマール共和国の状況と似ているのではないか，あるいは「ヴァイマールの亡霊」が復活しているのではないか，という問いが（再）登場したのである(4)。以下では，なぜこうした「ヴァイマール状況」という言説が出てきたか，すなわち，なぜい

(1) Francis Fukuyama, "The End of History?" *The National Interest*, No. 16, 1989, p. 4.

(2) フクヤマの「歴史の終わり」から説き起こし，現代における「歴史の回帰」を論じた書として，ジェニファー・ウェルシュ（秋山勝訳）『歴史の逆襲—— 21 世紀の覇権，経済格差，大量移民，地政学の構図』（朝日新聞出版，2017 年）〔Jennifer Welsh, *The Return of History: Conflict, Migration, and Geopolitics in the Twenty-first Century*, House of Anansi Press, 2016〕。

(3) E.g. Josef Joffe, „Das W-Gespenst", *Die Zeit*, Nr. 38/2018 (13. September 2018).

(4) ヴァイマール共和国と現在の状況の比較に関する，歴史家による批判的な概観として，さしあたり次を参照。Elke Seefried, „Die Krise der Weimarer Demokratie. Analogien zur Gegenwart?" *Aus Politik und Zeitgeschichte*, 66. Jg., 40-42/2016, S. 18-23; Thomas Raithel, „Noch immer ein Schreckbild? Das heutige Deutschland und die Weimarer Republik", *Vierteljahrshefte für Zeitgeschichte*, 66. Jg., Heft 2, 2018, S. 299-308. なお，この「ヴァイマール状況」について包括的に論じた本が，本シンポジウムの司会の小野寺拓也氏，パネリストの今井宏昌氏，そして北村厚氏と狐塚祐矢氏と訳出した，アンドレアス・ヴィルシング／ベルトルト・コーラー／ウルリヒ・ヴィルヘルム編（板橋拓己・小野寺拓也監訳）『ナチズムは再来するのか？ 民主主義をめぐるヴァイマル共和国の教訓』（慶應義塾大学出版会，2019 年）〔Andreas Wirsching/ Berthold Kohler/ Ulrich Wilhelm (Hrsg.), *Weimarer Verhältnisse? Historische Lektionen für*

まヴァイマール共和国の「現在化（Aktualisierung/Vergegenwärtigung）」が生じているかを確認しておきたい。

「ヴァイマール状況」ないし「ヴァイマールの亡霊」といった言葉が飛び交うようになったのは，およそ10年前である。まず，2007年の世界金融危機が，1929年の世界恐慌との比較を誘発した。そうした新聞記事は検索で無数に見つかるが，たとえば2010年5月17日の『南ドイツ新聞』には「1929年と2008年」という論説が掲載されている(5)。また，ユーロ危機時に典型的に示されたドイツの徹底的な緊縮志向は，容易にブリューニング内閣の政策との比較を呼び覚まし，各紙に「（アテネの）ヴァイマールの亡霊」という言葉が並んだ(6)。

そして近年，ヴァイマールの類推は政治や社会の領域にまで広がった。ドイツにおいても「民主主義の危機」が議論されるようになったためである。それは，まずもって「ドイツのための選択肢（AfD）」の台頭による。2013年に結成されたこの政党は，当初は反ユーロ政党だったが，次第に右傾化・排外主義化を強め，とりわけ2015年の難民危機を背景に右翼ポピュリズム政党となり，勢力を伸ばした。まず州議会選挙で成功し，そして2017年の連邦議会選挙では12.6％を獲得し，一気に第三党（結果的には野党第一党）に駆け上がった。これで連邦議会に議席を有する政党は7政党6会派となり，中道の二政党の凋落も相まって，多党化現象が生じた。また言うまでもなく，AfDのような極右的な政党が連邦議会に議席を得ることも初めてである。

そうした政治レベルでの変容とともに，社会レベルでも排外主義が高まっていることが，ヴァイマールとの比較を誘発している。その画期は2010年のザラツィン論争であり，2014年以降のペギーダの台頭も不安をかきたてた(7)。

さらに，AfDやペギーダの台頭と並行して，「人民の裏切り者（Volksverräter）」，「嘘つきメディア（Lügenpresse）」，「民族共同体（Volksgemeinschaft）」といった，ヴァイマール時代・ナチ時代の遺物であり，とうの昔にドイツが「克服」したかに思われた語彙が復活した。こうした言語を普及させるとともに，ペギーダやAfDの台頭に一役買っているのがFacebookやTwitterなどのSNSである。『ナチズムは再来するのか？』でウーテ・ダニエルが指摘するように，メディアや世論が分断され，そのなかで各陣営が「エコーチェンバー」によって，自分たちにしか通じない意見や感情を増幅させていく状況は，まさにヴァイマール期と不気味に類似している(8)。

とはいえ，歴史家によるヴァイマールと現代の比較は，たいていの場合，両者が相当異なることを確認することで終わる(9)。つまり，「ベルリンはヴァイマールではない」という確認である。これは，経済的・政治的に不安定な時代に（もっと不安定な）ヴァイマール共和国を引き合いに出し，連邦共和国はヴァイマールと違うと自己確認し，安心しようとしているようにも見える。

しかし，ヴィルシングが主張するように，「警戒を怠らないこと」(10)は重要だし，またヴァイマール時代と現代との不気味な連続性も指摘できる。たとえば，最近邦訳されたフォルカー・ヴァイス『ドイツの新右翼』（原題は『権威主義的反抗』）によれば，現代ドイツの新右翼は，ヴァイマール期の極右思想に起源をもつ。後者は，戦後にアルミン・モーラーによって「保守革命」というラベルを付けられ，ナチと区別されて現在まで延命しているという。また本書は，「西洋（アーベントラント）」など，戦間期に端を発する語彙がいかにして現在にまで生き延びてきたかを示している(11)。こうした意味で，「ヴァイマールの長い影」をつねに意識しておく必要はあるだろう。

さて，ヴァイスが指摘したのはヴァイマールからの「連続性（Kontinuität）」だが，ヴァイマール共和国は，「経験（Erfahrung）」および「記憶（Erinnerung）」としても，現在に限らず，戦後ドイツに影響を及ぼしてきた。そして，ヴァイマールの「経験」と「記憶」は，戦後ドイツの「自

---

unsere Demokratie, Reclam, 2018〕である。本書は，2017年4月から7月にかけて，ドイツのバイエルン放送と『フランクフルター・アルゲマイネ新聞』でメディアミックス的に展開された企画を書籍化したものであり，5人の歴史家（ひとりはフランス人）と2人の政治学者が，政治文化，経済，政党システム，メディア，有権者行動，国際環境，外国からの眼差し，という7点について，現代とヴァイマール時代の比較をしている。

（5）Ulrich Schäfer, „1929 und 2008“, *Süddeutsche Zeitung* vom 17. Mai 2010. 経済学者による批判的な検討として次も参照。Albrecht Ritschl, „War 2008 das neue 1931?“, *Aus Politik und Zeitgeschichte*, 59. Jg., 20/2009, S. 27-32.

（6）Harald Freiberger und Markus Zydra, „Das Gespenst von Weimar“, *Süddeutsche Zeitung* vom 26. Februar 2012; Jens Bastian, „Das Gespenst von Weimar in Athen“, *Neue Zürcher Zeitung* vom 28. Januar 2014.

（7）ザラツィン論争やペギーダの登場，さらにAfDの台頭については，さしあたり次の拙稿を参照。「変貌するドイツ政治」成蹊大学法学部編『教養としての政治学入門』（筑摩書房〔ちくま新書〕，2019年），307−333頁。

（8）ウーテ・ダニエル「政治的言語とメディア」ヴィルシングほか『ナチズムは再来するのか？』，33−49頁，とくに46−47頁を参照。

（9）これは『ナチズムは再来するのか？』でも同様である。

（10）アンドレアス・ヴィルシング「警戒を怠らないということ」ヴィルシングほか『ナチズムは再来するのか？』，117−130頁。

（11）フォルカー・ヴァイス（長谷川晴生訳）『ドイツの新右翼』（新泉社，2019年）〔Volker Weiß, *Die autoritäre Revolte: Die Neue Rechte und der Untergang des Abendlandes*, Stuttgart: Klett-Cotta, 2017〕。本書については，『外交』第54号（2019年），140−143頁で詳しく紹介した。

画像と民主主義理解」を反映するものとなった[12]。次節では，主に歴史学を対象として，この点を検討しよう。

3 歴史学におけるヴァイマール像の変遷：政治史を中心に

ドイツ現代史研究は，ヴァイマール共和国という対象に集中的に取り組んできた[13]。そこで本節では，ドイツ連邦共和国の歴史学における「ヴァイマール像」の変遷を粗くスケッチしてみたい（東ドイツにおけるヴァイマール共和国史研究については，ここでは触れない）。単純化の誹りは免れないが，それでも一定の傾向を看取することはできるだろう。

なお，「ヴァイマール」が第二次世界大戦後のドイツ連邦共和国にいかなる影響を与えたかというテーマは，古典的なものではあるが，ゼバスティアン・ウルリヒの2009年の著作『ヴァイマール・コンプレックス』がブレイクスルーとなり，いま改めて注目を浴びているものでもある[14]。ウルリヒは，戦後のドイツ連邦共和国で「ヴァイマール」が一種の「ネガティブ・モデル」として機能していたことを豊富な史料を用いて証明している。

3.1　1940年代後半：当事者たちによる記述

さて，よく知られているように，ヴァイマール共和国の記憶は，大量失業の記憶と結びついたこともあり，広範な社会層にとってネガティブなものであった。とはいえ，1940年代後半におけるヴァイマール史記述は，まだ相対的にポジティブな色彩が濃く，その成果が前面に出ていた。そして共和国の挫折の要因は，一義的に対外的なものに求められた。たとえば，連合国側の態度や，世界恐慌などである。こうした視座には，ナチによるヴァイマール共和国への中傷に対する反動，そして新たな民主政の建設という課題の存在が指摘できる。また，そうした叙述の担い手が，そもそもヴァイマール共和国の当事者だったことも大きい。

かかる著作の代表としてよく挙げられるのは，フリードリヒ・シュタンプファー（1874−1957）の『ドイツ共和国の最初の14年』[15]とフェルディナント・フリーデンスブルク（1886−1972）の『ヴァイマール共和国』[16]の2冊である。シュタンプファーは，ジャーナリストで社会民主党（SPD）党員であり，1902年からSPDの党機関紙『前進』で活動していた。ヴァイマール時代には政治家として台頭し，1920年から33年までライヒ議会議員を務めるとともに，党の要職を歴任した人物であった[17]。ナチ政権掌握後，シュタンプファーは亡命してゾパーデ（Sopade，SPDの亡命組織）の一員として活動したが，彼の『ドイツ共和国の最初の14年間』は，もともと亡命先で執筆されたものである。また，フリーデンスブルクはヴァイマール時代に民主党（DDP）の政治家として活動し，ツィーマン氏も言及している親共和国の「国旗団・黒赤金（Reichsbanner Schwarz-Rot-Gold）」のメンバーでもあった。第二次世界大戦後にフリーデンスブルクはベルリン・キリスト教民主同盟（CDU）の創設に参加し，ベルリン封鎖中の1948年8月から12月まで，短期間ではあるがベルリン市長代理を務めた[18]。1952年から65年まで西ベルリンから連邦議会に参加し，58年から65年までは欧州議会議員も務めた[19]。

3.2　1950年代：全体主義論の隆盛

このように，終戦直後は束の間のポジティブなヴァイマール評価が見られたが，しかし冷戦のなかでの分断，連邦共和国の成立を経た1950年代の歴史叙述では，総じて

(12) Sebastian Ullrich, „Der lange Schatten der ersten deutschen Demokratie. Weimarer Prägungen der frühen Bundesrepublik“, Alexander Gallus/ Axel Schildt (Hrsg.), *Rückblickend in die Zukunft. Politische Öffentlichkeit und intellektuelle Positionen in Deutschland um 1950 und um 1930*, Göttingen: Wallstein, 2011, S. 35-50, hier S. 38.

(13) 最新の研究動向紹介として，Ursula Büttner, „Ausgeforscht? Die Weimarer Republik als Gegenstand historischer Forschung“, *Aus Politik und Zeitgeschichte*, 68. Jg., 18-20/2018, S. 19-26. 他にも，優れた概観として以下を参照。Andreas Rödder, „Zur Geschichte der Weimar-Forschung. Kommentierte Bibliographie“, Rödder (Hrsg.), *Weimar und die deutsche Verfassung zur Geschichte und Aktualität von 1919*, Stuttgart: Klett-Cotta, 1999, S. 137-149; Wolfram Pyta, „‚Weimar‘ in der bundesdeutschen Geschichtswissenschaft“, Christoph Gusy (Hrsg.), *Weimars lange Schatten. „Weimar“ als Argument nach 1945*, Baden-Baden: Nomos, 2003, S. 21-62.

(14) Sebastian Ullrich, *Der Weimar-Komplex. Das Scheitern der ersten deutschen Demokratie und die politische Kultur der frühen Bundesrepublik 1945-1959*, Göttingen: Wallstein, 2009. なお，2018/19年の冬学期から2019年の夏学期にかけて，ベルリン・フンボルト大学，テロのトポグラフィ財団，ポツダム現代史研究センター主催で，「ヴァイマールの影響力：最初のドイツ共和国の追憶（Weimars Wirkung. Das Nachleben der ersten deutschen Republik）」と題した公開講座が行われている。

(15) Friedrich Stampfer, *Die ersten vierzehn Jahre der deutschen Republik*, Hamburg: Auerdruck, 3. Aufl., 1947 (zuerst 1936).

(16) Ferdinand Friedensburg, *Die Weimarer Republik*, Berlin: Carl Habel, 1946 (2., durchges. Aufl., 1957).

(17) シュタンプファーについては以下を参照。William T. Smaldone, “Friedrich Stampfer and the Fall of the Weimar Republic”, *The Historian*, Vol. 64, No. 3/4, 2002, pp. 687-703.

(18) 経歴については，さしあたりフェルディナント・フリーデンスブルク財団のウェブサイトを参照。
https://www.ferdinand-friedensburg-stiftung-ev.de/ferdinand_friedensburg

(19) Ullrich, *Der Weimar-Komplex*, S. 84-87.

批判的なヴァイマール像が流布した。民主政の挫折に焦点が定められ，とりわけ（対外的な要因よりも）内的な脆弱さが強調されるようになった。「ヴァイマール」は，誕生したばかりの連邦共和国の民主政にとっての「教材」となったのである。

そして，アデナウアー政権下の内政的安定，外交の西側志向，そして経済成長を背景に，1956 年にはスイスのジャーナリストであるフリッツ・ルネ・アルマンが「ボンはヴァイマールではない」というエッセイを書くに至った。フライブルク大学のイェルン・レオンハルトは，ヴァイマール共和国が，戦後民主政への「警鐘（Alarmismus）」役から「ネガティブな引き立て役」になったと指摘している[20]。

こうしたなか，1950 年代のヴァイマール分析は，概して「全体主義論」的な視座からなされた。つまり，左右の極端主義から挟撃されるヴァイマール共和国像である。また，各政党の非妥協性も強調された。こうした研究傾向のなかでも，現在でも読むに値する金字塔的著作としては，カール・ディートリヒ・ブラッハー（1922–2016）の『ヴァイマール共和国の崩壊』が挙げられる（初版は 1955 年）[21]。ブラッハー自身は，その後も全体主義論を保持し，1980 年代の緑の党とナチ党とのアナロジーまで示して見せた[22]。

3.3 1960 年代～ 80 年代：「特有の道（Sonderweg）」論と「古典的近代の危機」論

1960 年代においては，もうひとつのネガティブなヴァイマール像が登場した。いわゆる「ドイツ特有の道」論に依拠したヴァイマール像であり，そこでは帝政以来の旧エリートの連続性などが指摘された。革命が「未完」にとどまったことによって，共和国の挫折は運命づけられていたというストーリーも，この視座の産物として位置づけられよう。

これに対して，1980 年代には新たなヴァイマール像が提示される。言わずと知れた 1987 年のデートレフ・ポイカート（1950–90）の著作であり，これは「特有の道」テーゼを退け，「古典的近代の危機」としてヴァイマール共和国を位置づけるものであった[23]。

3.4 1990 年代：「成功史」の登場

1990 年代あたりには，ヴァイマール共和国は，ドイツ現代史研究の中心的地位から退きつつあった。もちろんそれは，戦後史（DDR 研究も含む）の領域が広がるとともに，ナチ研究も「権力掌握」から，第二次世界大戦期の研究およびホロコースト研究に重心が移ったからである。さらに見逃せないのは，この時期のいわゆる「成功史（Erfolgsgeschichte）」の流行である。「自由と平和のなかで」統一を達成した連邦共和国には，もはや「ネガティブな引き立て役」としてのヴァイマール共和国は不要になったのである。

ただし，統一後に見られた一連の極右の暴力を前にして，ジャーナリズムでは「ヴァイマールの歴史を繰り返すのか？」という問いが投げかけられているのも見逃せない[24]。

3.5 2000 年代以降：歴史学における「歴史化」「多様化」と社会における再「現在化」

21 世紀に入り，ヴァイマール共和国の政治史的研究はいっそう多様化している。もちろん伝統的なアプローチがなくなったわけではないが，文化史的アプローチからの「政治」概念の拡張が目に付く[25]。代表的な研究としては，メルゲルの「議会主義文化」の研究が挙げられよう[26]。また，独仏比較を中心に，ヴァイマール共和国を改めてヨーロッパ史のなかに位置づけようとする研究が増えた[27]。加えて，本シンポジウムでツィーマン氏が指摘した「歴史化（Historisierung）」の傾向や，グラーフらによ

---

(20) Jörn Leonhard, „Prekäre Selbstversicherung. Die Weimarer Republik als Metapher und geschichtspolitisches Argument“, *Aus Politik und Zeitgeschichte*, 68. Jg., 18-20/2018, S. 10-18, hier S. 14.

(21) Karl Dietrich Bracher, *Die Auflösung der Weimarer Republik. Eine Studie zum Problem des Machtverfalls in der Demokratie*, mit einer Einleitung von Hans Herzfeld, Stuttgart/ Düsseldorf: Ring-Verlag, 1955.

(22) Raithel, „Noch immer ein Schreckbild?“ S. 303. Raithel が参照しているのは次の文献である。Karl Dietrich Bracher, „Die Weimarer Erfahrung“, Bracher, *Wendezeiten der Geschichte. Historisch-politische Essays 1987-1992*, Stuttgart: Deutsche Verlags-Anstalt, 1992, S. 11-16.

(23) デートレフ・ポイカート（小野清美／田村栄子／原田一美訳）『ワイマル共和国――古典的近代の危機』（名古屋大学出版会，1993 年）〔Detlev J. K. Peukert, *Die Weimarer Republik. Krisenjahre der klassischen Moderne*, Frankfurt a. M.: Suhrkamp, 1987〕。

(24) E.g. Uri Avnery, „Wiederholung der Geschichte?“ *Der Spiegel*, Heft 49/1992, S. 30-32.

(25) レビュー論文として次を参照。Björn Hofmeister, „Kultur- und Sozialgeschichte der Politik in der Weimarer Republik 1918 bis 1933“, *Archiv für Sozialgeschichte*, Bd. 50, 2010, S. 445-501.

(26) Thomas Mergel, *Parlamentarische Kultur in der Weimarer Republik. Politische Kommunikation, symbolische Politik und Öffentlichkeit im Reichstag*, Düsseldorf: Droste, 3., überarbeitete Aufl., 2012 (zuerst 2002).

(27) E.g. Thomas Raithel, *Das schwierige Spiel des Parlamentarismus. Deutscher Reichstag und französische Chambre des Députés in den Inflationskrisen der 1920er Jahre*, München: R. Oldenbourg, 2005.

る「危機」パラダイムの拒否などの動きがある[28]。

さらに，近年のヴァイマール研究の常套句として，共和国の「終わり」や「挫折」を出発点として考えない，というものがある[29]。ただし，そうした傾向を進めすぎてしまうと，まさにツィーマン氏が指摘したように，ヴァイマール民主政が抱えていた数多くの負荷を過小評価することに繋がってしまう点には注意が必要だろう（たとえばティム・ミュラーの研究[30]）。

いずれにせよ，こうした「歴史化」が進む研究動向を背景に，現代の歴史家は，たとえば現在が「ヴァイマール状況」にあるかと問われたとき，そういう問題設定自体に懐疑的になる傾向がある。それに対して，前節で述べたように，ドイツの世論やメディアでは，現在の危機とヴァイマール共和国との比較が脊髄反射的に行われる。ドイツ社会においてヴァイマール共和国がいまだにもつ重みは驚くべきものであり，この点でヴァイマールは連邦共和国の政治文化の一部となっていると言えよう。

かかる状況のなかで気がかりなのは，メディアなどを通じて再生産されるヴァイマール像が，新しい歴史研究の成果とあまり接点をもたず，むしろそこから乖離していることである。また，100年を経て，ヴァイマールがどんどん時間的に遠ざかるにつれて，アナロジーや類似性の分析はどんどん無効になっていくだろう。その限りで，ヴァイマール共和国のアクチュアリティは薄れざるをえない。

そう考えると，ヴァイマールと現在との比較の過剰は，ヴァイマールの歴史を歪めていくものであると同時に，現状把握としても危険なものになりうる。また歴史研究者にとっては，ヴァイマールの「歴史化」を推し進めるとともに，ヴァイマールのその都度の「現在化」（あるいは「重み」）を「歴史化」ないし「文脈化」していく必要性も出てくるだろう。

4 「ヴァイマール」の重みの問い直し：基本法制定時の議論を例に

ここではヴァイマールの重みを問い直すための一つの手がかりとして，連邦共和国基本法制定時の議論を再考してみたい。周知のように，基本法を制定した議会評議会では，ヴァイマール共和国は新たに創るべき共和国の「教訓」として，「ネガティブな引き立て役」を果たしていた[31]。

通説的な見解では，議会評議会に集まった人びとは，ヴァイマール共和国時代の政治を次のように理解していた。第一に，比例代表制により，小党が乱立し，安定した多数派形成が困難だった。第二に，議会制そのものを否定する勢力が議会で活動することを許し，ナチ党や共産党など，反共和国勢力が議会の過半数を占めるにいたった。第三に，議会が機能麻痺に陥ると，人民投票に基づく強大な大統領権力に依拠して政権運営を行わざるをえなくなった。

こうしたヴァイマール共和国時代の反省から，基本法は次のようなものになった。すなわち，①「建設的不信任制度」が導入され，②大統領がほぼ儀礼的な存在となり，国民ではなく議員によって選出され，③国民発案（イニシアティブ）や国民票決（プレビシット）といったヴァイマール憲法が規定していた直接民主主義的な制度は廃止され，④「闘う民主主義」，すなわち自由で民主主義的な秩序に敵対する政党が禁止された。また，基本法の条項ではないが，いわゆる「五％阻止条項」も導入された（53年の第二回連邦議会選挙から全国レベルで導入）。

こうした通説的理解は，全体的には正しい。とはいえ，基本法の制定者たちが，どこまで／どのように「ヴァイマール」を意識したかは，より深く研究されるべきである[32]。たとえば，ヴァイマールの経験にもかかわらず，なぜ基本的には比例代表制に基づく議院内閣制は肯定されたのか。あるいは（議会評議会のメンバーではないが）のちに連邦内相や外相を歴任することになるゲルハルト・シュレーダー（CDU）などは，ヴァイマールへの反省から，イギリス型の二大政党制を模範とし，小選挙区制の導入を唱えていたが，そうした制度がなぜ採用されなかったのか，といった論点が挙げられよう[33]。

確かに「ボンはヴァイマールではない」のだが，ヴァイ

(28) Moritz Föllmer/ Rüdiger Graf (Hrsg.), *Die „Krise“ der Weimarer Republik. Zur Kritik eines Deutungsmusters*, Frankfurt a.M.: Campus, 2005.

(29) E.g. Franka Maubach, „Weimar (nicht) vom Ende her denken. Ein skeptischer Ausblick auf das Gründungsjubiläum 2019“, *Aus Politik und Zeitgeschichte*, 68. Jg., 18-20/2018, S. 4-9.

(30) E.g. Tim B. Müller, „Von der ‚Whig Interpretation‘ zur Fragilität der Demokratie. Weimar als geschichtstheoretisches Problem“, *Geschichte und Gesellschaft*, Jg. 44, Heft 3, 2018, S. 430-465.

(31) Vgl. Marie-Luise Recker, „‚Bonn ist nicht Weimar‘. Zur Struktur und Charakter des politischen Systems der Bundesrepublik Deutschland in der Ära Adenauer“, *Geschichte in Wissenschaft und Unterricht*, 44, 1993, S. 287-307.

(32) その意味で，これまで筆者も概説レベルでは些か単純に描き過ぎていたかもしれない。たとえば，拙稿「基本法の制定と西ドイツの成立――『ボンはヴァイマルではない』」森井裕一編『ドイツの歴史を知るための50章』（明石書店，2016年），244‒249頁。

(33) シュレーダーについては，次の傑出した評伝を参照。Torsten Oppelland, *Gerhard Schröder (1910-1989). Politik zwischen Staat, Partei und Konfession*, Düsseldorf: Droste, 2002.

マールとボンの連続性にも，より注意が払われるべきであろう。

5 「ヴァイマール」の広がり

さて，前節では「ヴァイマール」のその都度の「現在化」を「歴史化」「文脈化」していく方向性を示唆した。最後に，政治史的な観点から，ヴァイマール研究のさらなる可能性として，三つの有り得る方向を提示して終わりとしたい。もちろん，ヴァイマール政治史研究の可能性は多様な方向に開かれており，以下は筆者からのひとつの提案として受け取っていただきたい。

ともあれ，以下で述べることは，ヴァイマール共和国研究はもっと空間的，時間的，手法的に開放できるのではないかということである。かかる提案は，筆者自身のこれまでの研究，たとえば「中欧（Mitteleuropa）」構想研究，アデナウアーの伝記的研究，「西洋（Abendland）」理念研究が，いずれもヴァイマールという時代に密接に関わりつつも，時代的・空間的にはそこを超えざるをえなかった経験に由来している[(34)]。

5.1 「ヴァイマール」を比較する (comparative perspective)

ツィーマン氏も引用しているメルゲルや，邦訳が出たマーク・マゾワーも述べているように，第一次世界大戦後に成立した新興民主主義国の体制危機は遍在的なものであり，1920 年代で崩壊した事例にも事欠かない。その点でヴァイマールは決して例外的な存在ではない[(35)]。

それゆえ，民主主義の定着あるいは崩壊事例としての比較研究の地平はまだまだ広いと言える。また，こう考えたとき示唆的なのは，国際関係史家ウィリアム・マリガンが第一次世界大戦起源論で採った立場である。すなわち，マリガンは「全面的なヨーロッパ戦争はなぜもっと早くに起こらなかったのか」，「なぜ列強間の平和が 40 年以上にわたって維持されたのか」と問うことで，第一次世界大戦起源論の問いの再構成を図った[(36)]。その顰に倣えば，ヴァイマール民主政は「なぜ 14 年**しか**もたなかったのか」から「なぜ 14 年**も**もったのか」といった視座の転換が必要となるだろう。

5.2 「ヴァイマール」を理論化する (theoretical perspective)

繰り返しになるが，現代の民主主義諸国ではポピュリズムと呼ばれる現象が巻き起こり，民主主義のバックスライディングも論じられるようになった。こうしたなか，民主主義体制の古典的な崩壊事例であるヴァイマール共和国に関心が寄せられるのは，ごく自然なことと言えよう。

そこで，ポピュリズム研究や政党政治研究の蓄積をふまえながら，ヴァイマール共和国のアクチュアリティを論じることは可能だろう。むろん安易なアナロジーは有害でさえあるが，適切な理論的手続きを踏めば，ヴァイマールの経験は現代民主政の分析にも有益である。

たとえば，スティーブン・レビツキーとの共著『民主主義の死に方』で日本にも紹介された政治学者のダニエル・ジブラットは，2017 年の著作『保守政党と民主主義の誕生』で，民主政の安定には，台頭する急進右翼に対して保守政党がどのような対応を取るのかが重要であると指摘した。そして彼は，イギリスとドイツの事例を比較検討し，両国の分岐は保守政党（ドイツの場合は国家人民党 DNVP）の組織化の強弱によると主張した[(37)]。その主張の当否はさておくとしても，ジブラットの著作を読むと，ヴァイマール共和国がいまだ政治理論のための貴重な材料を提起していることがわかる。

あるいは，ヤン＝ヴェルナー・ミュラーやカス・ミュデらのポピュリズム研究は，ポピュリズムを，道徳主義的な反エリート主義で，かつ反多元主義的なものと定義したが[(38)]，ポピュリズムをこう見るとき，従来アメリカやフランスに議論が偏重しがちであったポピュリズム論に，ドイツ史の観点からアプローチすることは可能だろう。

---

(34) 以下の拙著を参照。『中欧の模索――ドイツ・ナショナリズムの一系譜』（創文社，2010 年）；『アデナウアー――現代ドイツを創った政治家』（中央公論新社〔中公新書〕，2014 年）；『黒いヨーロッパ――ドイツにおけるキリスト教保守派の「西洋（アーベントラント）」主義，1925 ～ 1965 年』（吉田書店，2016 年）。

(35) Thomas Mergel, "Dictatorship and Democracy, 1918-1939", Helmut Walser Smith (ed.), *The Oxford Handbook of Modern German History*, Oxford: Oxford University Press, 2011, pp. 423-452, esp. pp. 435-437; マーク・マゾワー（中田瑞穂／網谷龍介訳）『暗黒の大陸――ヨーロッパの 20 世紀』（未來社，2015 年）〔Mark Mazower, *Dark Continent: Europe's Twentieth Century*, London: Penguin, 1998〕；小川浩之／板橋拓己／青野利彦『国際政治史』（有斐閣，2018 年），96－98 頁。

(36) ウィリアム・マリガン（赤木莞爾／今野茂充訳）『第一次世界大戦への道――破局は避けられなかったのか』（慶應義塾大学出版会，2017 年）〔William Mulligan, *The Origins of the First World War*, Cambridge: Cambridge University Press, 2nd ed., 2017〕，22－23 頁。

(37) Daniel Ziblatt, *Conservative Parties and the Birth of Democracy*, Cambridge: Cambridge University Press, 2017.

(38) ヤン＝ヴェルナー・ミュラー（板橋拓己訳）『ポピュリズムとは何か』（岩波書店，2017 年）；カス・ミュデ／クリストバル・ロビラ・カルトワッセル（永井大輔／高山裕二訳）『ポピュリズム――デモクラシーの友と敵』（白水社，2018 年）。

5.3 「ヴァイマール」をグローバル化する (transnational/global perspective)

最後にヴァイマールの「トランスナショナル化」「グローバル化」の可能性を提示したい。この場合，さしあたり三つのアプローチが考えられる。

第一に，戦間期のトランスナショナルな動き，たとえば国境を越えた運動・組織やネットワークに着目した研究が挙げられる。これは，ヨーロッパ統合史とも接続しうる分野であり，すでに活況を呈しているテーマと言えよう(39)。

第二は，比較の視座をよりグローバルなものにすることである。たとえば，日本との比較も可能だろう(40)。その場合，「時差」をどう考えるかが重要である。たとえば，同時代の大正デモクラシーと比較するのか，それとも第二次世界大戦後と比較するのか。いずれにせよ，ヴィルシングはヴァイマール共和国を「ヨーロッパの次元で考え」る必要性に言及しているが(41)，なにもわれわれは「ヨーロッパの次元」にとどまる必要はないだろう。

第三は，グローバルなインテレクチュアル・ヒストリーの可能性である。そもそも英語で「ヴァイマールの亡霊」といったとき，レオ・シュトラウスがアメリカ政治の中枢に与えた影響を指す場合がある(42)。そうした意味で，ヴァイマールの「記憶」「経験」は直接的にグローバルな意味を持ちえた。

この点で注目すべきは，ダートマス大学の歴史家ウディ・グリーンバーグの『ヴァイマールの世紀――ドイツ人亡命者と冷戦のイデオロギー的基礎』という著書である(43)。本書は，5人の亡命知識人（プロテスタントの政治思想家カール・J・フリードリヒ〔1901-1984〕，社会主義者のエルンスト・フレンケル〔1898-1975〕，カトリックの著述家ヴァルデマール・グリアン〔1902-1954〕，リベラルな法律家カール・レーヴェンシュタイン〔1891-1973〕，国際法学者から国際政治学者となったハンス・モーゲンソー〔1904-1980〕）の経歴を辿り，ヴァイマールの経験が，戦後ドイツの復興とともに，冷戦の起源にも影響を及ぼしていることを明らかにした。

たとえば，対独占領にあたった米軍政府のルシアス・クレイ将軍の首席法律顧問であったフリードリヒは，ドイツの民主化と独米の反共同盟の構築に尽力したが，それはヴァイマール時代のアイデアと，ヴァイマール時代に彼が構築したネットワークに依拠したものであった。フレンケルは，アメリカの朝鮮半島占領に政府高官として参加して朝鮮の南北分断に関わるとともに，西ドイツの民主主義と労働に関する重要な理論家となった。グリアンは，戦後にロックフェラー財団の対ドイツ文化活動のために働き，反共的な「全体主義理論」を練り上げ，アメリカにおけるソ連専門家となった。レーヴェンシュタインは，戦時中は米司法省に勤務してラテン・アメリカの司法改革に関わるとともに，戦後ドイツの指導的な民主主義・反共思想家となった。モーゲンソーは，いわずとしれた国際政治学の「現実主義」の父となる。

彼らは，異なる宗教的・政治的・知的背景をもち，異なるイデオロギー的使命を抱き，異なるやり方・制度で活動したが，みな民主化と反共の重要な建設者であり，彼らの理念，政策，制度的なコネクションは，戦後の大西洋秩序の核心にあった。こうしてグリーンバーグは「短い20世紀」を「ヴァイマールの世紀」と描いたのである。

ここまで散漫な議論を述べてきたが，ツィーマン氏の「歴史化」と「現在化」のはざまで，という点に戻ろう。歴史研究者の主たる課題が「歴史化」であるというツィーマン氏の見解には筆者も賛成する。とはいえ私見では，「現在化」は，歴史学的に（あるいは理論的に）適切なものであれば，必ずしも「歴史化」と相容れないものではないし，両立可能であろう。

※本稿は，2019年6月30日に法政大学で開催された第35回日本ドイツ学会大会のシンポジウム「ヴァイマール100年―ドイツにおける民主主義の歴史的アクチュアリティ―」における拙口頭報告原稿を基にしたものである。また，報告の準備にあたっては，成蹊大学図書館に所蔵されている，篠原一氏のヴァイマール共和国史関連蔵書「篠原文庫」がきわめて有益であった。

---

(39) E.g. Guido Müller, *Europäische Gesellschaftsbeziehungen nach dem Ersten Weltkrieg. Das Deutsch-Französische Studienkomitee und der Europäische Kulturbund*, München: R. Oldenbourg, 2005. そうしたヨーロッパ統合史の方法論を論じた邦語文献として，遠藤乾「ヨーロッパ統合史のフロンティア―― EUヒストリオグラフィーの構築に向けて」遠藤乾／板橋拓己編『複数のヨーロッパ――欧州統合史のフロンティア』（北海道大学出版会，2011年），3-41頁。

(40) この点につき，本特集の今井論文も参照。

(41) ヴィルシング「警戒を怠らないということ」，129頁。

(42) 柴田寿子「グローバルなリベラル・デモクラシーとヴァイマールの亡霊――現代アメリカにおけるレオ・シュトラウスの浮上は何を物語るのか？」同『リベラル・デモクラシーと神権政治――スピノザからレオ・シュトラウスまで』（東京大学出版会，2009年），第1章。

(43) Udi Greenberg, *The Weimar Century: German Émigrés and the Ideological Foundations of the Cold War*, Princeton/Oxford: Princeton University Press, 2014.

ヴァイマールと向き合う
――戦後日本のドイツ研究における「教訓の共和国」

今井宏昌

はじめに ――教訓としてのヴァイマール共和国

「ヴァイマール100年」を迎えた現在，ヴァイマール共和国は「われわれ」にとっていかなる意味をもちうるのか。今回のシンポジウムの冒頭，講演者であるベンヤミン・ツィーマンが指摘したのは，2019年という年が「ヴァイマール共和国建国100年を評価するのにふさわしい年とは言えない」という点だった。ただ，（再）評価をおこなうタイミングの「ふさわしさ」はともかくとして，この間，ヴァイマール共和国というテーマが多くの人びとの関心をかきたて，様々な議論の形成と発展を促したことについては，疑うべくもない(1)。

特に第二次世界大戦終結直後，連合国の占領下に置かれた日本の言論空間では，自国の現状をヴァイマール共和国と重ね合わせ，その歴史を教訓化（しようと）する動きがみられた。知識人が戦争への反省から「悔恨共同体」（丸山真男）を形成し(2)，また民衆が自らの戦争経験（特に被害経験）を踏まえながら平和と民主主義を志向する中にあって(3)，第一次世界大戦後に産声をあげたドイツ・デモクラシーとその「悲劇」が，ドイツ研究者を中心にアクチュアルなものと受け止められたとしても，何ら不思議ではない。またそこには，戦間期ドイツに留学した洋行知識人，とりわけベルリン日本人反帝グループのヴァイマール体験が「戦後民主主義」の形成に寄与したことも無関係ではないと考えられる(4)。

本稿では，このようにヴァイマール共和国の歴史を戦後日本の教訓として位置づける姿勢を，便宜的に「教訓の共和国」と名づけてみたい。敗戦から70年以上が経過し，戦後日本のドイツ研究も厚みを増していく中で，「教訓の共和国」はどのような形で表出し，またどのような変遷を辿ったのか。本稿はこの問題を，ヴァイマール共和国に関する邦語文献，とりわけその「まえがき」や「あとがき」などを中心に検討していく，ひとつの実験的試みである(5)。またそれに際しては，今回ツィーマンによって提起された〈歴史化〉と〈現在化〉というふたつのベクトルを意識しながら整理を進めていきたい。

ところで，検討を始める前に確認しておきたい点が三点ある。一点目は，対象となる文献についてである。本稿執筆にあたっては，戦後日本のヴァイマール関連文献について可能な限りの調査をおこなったものの，網羅的なチェックができたとは言い難い。また本稿の性格上，「教訓の共和国」的な言説が見受けられない文献は対象から外したほか，単体で分厚い蓄積を誇るドイツ革命研究や伝記研究についても，今回は時間の都合上割愛せざるを得なかった。二点目は，Weimarの日本語表記についてである。基本的に筆者が用いる際には特集の表題に準じ「ヴァイマール」で統一しているものの，引用内の表記はそのままにしているため，結果として「ヴァイマール」「ヴァイマル」「ワイマル」「ワイマール」という表記が入り乱れている。また三点目として，引用をおこなう際には旧漢字を新漢字に変換せず，そのままの表記にとどめている。以上三点について，予めお断りしたい。

（1）この点については，Andreas Wirsching/ Berthold Kohler/ Ulrich Wilhelm (Hrsg.), *Weimarer Verhältnisse? Historische Lektionen für unsere Demokratie*, Ditzingen: Reclam, 2018〔アンドレアス・ヴィルシング／ベルトルト・コーラー／ウルリヒ・ヴィルヘルム編（板橋拓己／小野寺拓也監訳）『ナチズムは再来するのか？――民主主義をめぐるヴァイマル共和国の教訓』（慶應義塾大学出版会，2019年）〕を参照。
（2）奥武則『増補 論壇の戦後史』（平凡社，2018年），特に第1章を参照。
（3）吉見義明『焼跡からのデモクラシー――草の根の占領期体験〈上・下〉』（岩波書店，2014年）。
（4）加藤哲郎『ワイマール期ベルリンの日本人――洋行知識人の反帝ネットワーク』（岩波書店，2008年），特に終章を参照。
（5）文献のリサーチに際しては，西川正雄編『ドイツ史研究入門』（東京大学出版会，1984年），ならびに木村靖二／千葉敏之／西山暁義編『ドイツ史研究入門』（山川出版社，2014年）のほか，CiNii（https://ci.nii.ac.jp）や国立国会図書館サーチ（https://iss.ndl.go.jp/）といった文献検索サイトを用いた。

1 「教訓の共和国」の成立と定着——敗戦から1970年代まで

1.1 ヴァイマールの中の政治的実践課題

敗戦直後の日本において，戦後初となる本格的なヴァイマール研究を上梓したのは，戦前からヨーロッパ政治史研究者として活躍していた政治学者の岡義武（1902–1990）であった。東京帝国大学法学部の助手時代，吉野作造（1878–1933）に師事していた彼は，今からちょうど70年前にあたる1949年刊行の『独逸デモクラシーの悲劇』において，ヴァイマールの憲法・共和制が辿った歴史を概略的に検討した。岡曰く，本書は元々「雑誌「世代」（昭和二一年八月号）に「ワイマール共和国の悲劇」なる小文を掲載した」ことを契機として，「弘文堂からこの度それをこの文庫〔弘文堂刊のアテネ文庫——編集部註〕（原文ママ）の一冊に加えることを求められた機会に，旧稿に加筆，増補することを試みた」結果，誕生したものである。彼はそこで「敗戦以後わが国においてはワイマール憲法，ワイマール共和制が色々な意味で話題に上って来た」とした上で，「第一次世界大戦後のドイツにおける民主政の実験がどういう経過を辿って結局不幸な失敗をもって運命づけられたか」という問いを立てる[(6)]。ここから浮かび上がるのは，「ワイマール共和国の悲劇」に対する社会的関心に応じようとする姿勢であり，そこでは「敗戦以後」という日本の現状を背景として，「民主政の実験」という政治的実践課題が強く意識されていたといえよう。

『独逸デモクラシーの悲劇』刊行の翌年にあたる1950年，岡と同じ政治学者の猪木正道（1914–2012）は，著書『ドイツ共産党史』を世に問うた。彼は「戦闘的リベラリスト」と呼ばれた河合栄治郎（1891–1944）の強い影響下にあり，こと共産主義やマルクス主義に対しては，河合以上に苛烈な論陣を張った人物として知られる[(7)]。とはいえ，本書の行論は平板な反共主義のそれとは一線を画している。「社會主義の二つの陣營は，相互に對手を倒すことにエネルギーの大半を費して，結局保守反動勢力に漁夫の利を得しめているのではないか？」と問いかける猪木は，「一九三〇–三三年のドイツがそうだ」とし，「日本もそれに近い運命を辿るかも知れない」とヴァイマール末期のドイツに日本の「運命」を重ねる。そして「こゝにおいてわれわれは，共産主義と社會民主主義との對立について，今一度虚心膽懐に反省して見る必要があると思う」と，ドイツ共産党とドイツ社会民主党との共闘の失敗から学ぶ必要性を訴えている[(8)]。

また猪木とは逆に，ドイツ民主共和国の公式見解を踏襲する形で『ドイツ革命運動史』（1953年）を執筆したのが，経済学者の吉村励（1922–）であった。吉村は「戦後，ワイマール共和制時代の歴史の領域では多くの寄与がなされたが，歴史の機動力をなす階級闘争の領域は，今もなお殆んど空白のままに残されている」と研究史を総括した上で，「このような空白を埋め，植民地的ドイツより帝国主義的ドイツに移行した時代におけるドイツの階級闘争の内的論理を追求することを意図したささやかな試み」として本書を位置づける。そこでは，英仏中心のヴェルサイユ体制に縛られた「植民地的ドイツ」＝ヴァイマール共和国に，アメリカ帝国主義の従属下に置かれた日本の現状が投影されていたといえよう。そして吉村は，「平和と独立のために闘っていられる読者諸兄が，ドイツ・プロレタリアートのあゆんだ途から，何等かの歴史の教訓をえられれば筆者の望外の倖わせである」と，政治的変革主体としての読者に教訓化を託すのである[(9)]。

このように，互いに政治的立場を違にする猪木と吉村ではあったが，ヴァイマール期の政治，とりわけ社会主義や階級闘争の歩みから学び，日本の将来に役立てようとする問題意識においては一致していた。その意味で敗戦後約10年間の研究は，岡のデモクラシー論も含め，ヴァイマールの中にアクチュアルな政治的実践課題を見出そうとする〈現在化〉の姿勢に支えられていたといえよう。

1.2 「ワイマル共和国と現代日本」

しかしこうした傾向は，55年体制とともに自民党の優位が確立され，「もはや『戦後』ではない」という言葉が叫ばれ始めた1950年代半ば以降，ひとつの変化を迎えた。この点を同時代に指摘したのが，歴史学者・林健太郎（1913–2004）の論説「ワイマル共和国と現代日本」（『歴史と現実』〔1962年〕所収）である。「ワイマル共和国と現代の日本を比較する試みは決して新しいものではない」とする林は，岡や猪木の研究に言及した上で，次のように述べる。

> 戦後十五年を経た今日，ワイマル共和国と日本の類似を説く声は，以前とは多少異った色調を以て再び言論界に現われて来ているようである。それは多く，現在の日本が次第にワイマル共和国の末期に似て来たという認識の上に立つものであって，現在の社会情勢の中にいわゆる「逆コース」を見る人々の中にそれが多いようであ

（6）岡義武『独逸デモクラシーの悲劇』（文藝春秋，2015年），9頁。なお，底本は1949年に弘文堂から刊行されている。
（7）富田武「名著再読 猪木正道著『ロシア革命史 社会思想史的研究』」『成蹊法学』81号（2014年），61–79頁。
（8）猪木正道『ドイツ共産党史——西欧共産主義の運命』（弘文堂，1950年），1頁。
（9）吉村励『ドイツ革命運動史——ワイマール体制下の階級闘争』（青木書店，1953年），198頁。

る。すなわちそれは日本の再軍備，右翼勢力の擡頭を重要視し，それがやがて曽てのドイツに見られたナチス政権のごとき右翼勢力の支配を日本に齎すのではないかと危惧するものであって，中にはより端的に自民党政権，あるいは岸前首相を以てすでにナチスないしヒットラーと変らぬものと極言する人もあった位である。そして浅沼社会党首殺害（1960年10月12日，日比谷公会堂で演説中の浅沼稲次郎日本社会党委員長が，17歳の右翼少年・山口二矢に暗殺された事件――今井）のごとき不祥事は一層その説を強めたかも知れない。たしかにワイマル共和国のドイツは右翼分子によるテロ行為が頻発した時代であった(10)。

「戦後十五年を経た今日」において，とりわけ「逆コース」にヴァイマール末期との類似状況を見出そうとする議論は，林からすると岡や猪木らのそれとは「多少異った色調」を有していた。そしてその差異は，林にとって違和感のあるものだったようである。

> 終戦直後に現われたワイマル共和国との比較と今日のそれとが異るのは当然である。何となればその間には十年以上の日本の現実が横たわっているからである。曽てのそれが将来の日本の進路についての見通しないし希望を述べたものであったとすれば，現在のそれは戦後十五年の日本の歩みの観察と反省に基いたものであるはずである。しかしそれだけに，今日のその比較論は厳密な事実の認識に立脚したものでなければならない。そしてそれは何よりもワイマル時代のドイツについての正確な知識を前提としなければならないであろう(11)。

ここで林が訴えるのは，「正確な知識」の獲得である。それはヴァイマールとの比較論が，ヴァイマールの終焉と日本の将来とを重ね合わせる「安易な必然論」に堕すことを防ぐための方策であった。彼は「今日の日本」が「明らかに非常な好況にあって，ワイマル共和国末期の深刻な不況とは雲泥の相違がある」こと，また「『資本主義か社会主義か』というような問題設定が今日多分に実質的な意味を失っている」ことを指摘した上で，「歴史は『必然』によってではなく人間の自覚的行動によってつくられる」のであり，「歴史は常に新しいものを生み出しつつあり，同一のものがそのまま繰り返されることはない」と喝破する。しかし林はまた，ヴァイマールと日本の現状を完全な別物とし，後者を楽観視する見方にも与さない。彼にとって「ワイマル共和国と現代日本の類似性の根源はいわゆる『右』とか『左』とかの点にあるのではなくて，今日『大衆社会』という名で呼ばれている社会状況との突然の直面ということの中に」あった(12)。

1.3 ヴァイマール体験者における「教訓の共和国」

政治学者，経済学者，そして歴史学者らがヴァイマールと日本の現状との比較可能性を議論する中，1970年代後半にはヴァイマール時代のドイツを訪れた人物，つまりは実際のヴァイマール体験者による著作が刊行された。元外交官である加瀬俊一（1903-2004）の著書『ワイマールの落日』（1976年）がそれである。ヴァイマール末期にベルリンの日本大使館に勤務し，大統領パウル・フォン・ヒンデンブルクとの面会も果たしたことのある加瀬は，ヴァイマールについて次のような評価を下している。

> 要するに，ワイマール共和国は戦勝国から与えられたものであって，ドイツ人が戦い取ったものではなく，いわば根のない鉢植の花だった。山林の花ではない。ワイマールこそは民主主義者不在の民主体制だったのである。この点は，日本の現状に似ている。その意味で，ワイマールの落日はわれわれにとって，貴重な反面教師になると思う(13)。

加瀬はここで，ヴァイマールを根無し草的な「民主主義者不在の民主体制」であったとし，連合国占領下に始まった日本の「戦後民主主義」との類似性を指摘した上で，「ワイマールの落日」を日本の「反面教師」にすべきだとする。ただし2019年現在の研究状況に照らせば，このような認識が大きな誤りを含んでいることは明らかであろう。ヴァイマール・デモクラシーも日本の「戦後民主主義」も，単に戦勝国から与えられたものではなかった(14)。

またこの点については，同じくヴァイマール体験をもち，さらには日本人反帝グループの一員でもあった労働法学者・野村平爾（1902-1979）の見解もあわせて参照すべきである。野村はヴァイマール司法をめぐる諸事件を紹介した清水誠編『ファシズムへの道』（1978年）の「はしが

(10) 林健太郎「ワイマル共和国と現代日本」同『歴史と現実』（新潮社，1962年），39-40頁。
(11) 同上。
(12) 同上，57-58頁。なお，この指摘は以下で紹介する1980年代以降のヴァイマール研究の歩みを考えると，非常に示唆的である。
(13) 加瀬俊一『ワイマールの落日――ヒトラーが登場するまで 1918-1934』（文芸春秋，1976年），285頁。
(14) Benjamin Ziemann, *Contested Commemorations. Republican War Veterans and Weimar Political Culture*, Cambridge: Cambridge UP, 2013; Ursula Büttner, „Ausgeforscht? Die Weimarer Republik als Gegenstand historischer Forschung“, *Aus Politik und Zeitgeschichte*, Jg. 68, H. 18-20, 2018, S. 25; 吉見『焼跡からのデモクラシー〈上・下〉』。

き」において，「今の日本がワイマール共和制と全く同じ運命を辿るだろうなどと予言めいたことをいうつもりはない」とし，「日本が敗戦によって新しく民主的憲法を制定してからでも，もう三〇年を超えて」おり，「ワイマール共和制の一五年とくらべればはるかに長い」時間が経過していることを指摘する。そしてこれをもって，「新憲法的感覚は国民大衆の中に入っているし，民主主義を守る力の強さをしめしているともいえる」と，加瀬とは異なる見解を示すのである。ただそうした野村も，「ワイマールの場合よりゆるいテンポではあるが，ファシズムへの傾斜があり，憲法の空洞化の進行がようやく顕著になってきた」ことには同意し，「ワイマール司法の軌跡がしめしてくれている豊かな歴史的教訓から学びとることの大切さを痛感せずにはいられな」かった(15)。

このように「教訓の共和国」は，戦後日本がヴァイマールの倍以上の歴史を積み重ねる中でなお，日本のドイツ研究において繰り返し登場することとなる。ただしそこでは，敗戦直後の政治的実践課題を意識した〈現在化〉の姿勢は次第に後退していき，それに代わる形で徐々に体制論的な〈現在化〉が隆盛したといえるのではないだろうか。

2 アクチュアリティの変貌——1980/90年代

2.1 拡大する関心と縮小するアクチュアリティ

1980年代に入ると，日本のドイツ研究におけるヴァイマールへの関心は，これまでにないほどの広がりをみせることとなる。例えば歴史学者・八田恭昌（1926-1992）の著書『ヴァイマルの反逆者たち』（1981年）は，ヴァイマール期の「左翼的右翼人」に注目し，彼らを「ヴァイマル共和国史の一部であり，また，その象徴でもあった」と位置づける。本書はドイツ語圏における保守革命研究の受容の上に成り立つものであり，八田自身の言葉を借りるなら，「ヴァイマル共和国の昼の陰にうごめく闇の男たちの生き方を通して，狂乱のヴァイマル時代を覗こうとした，いわば人間からするヴァイマル共和国史の断片」であった(16)。当然ながら，そこに「教訓の共和国」の姿はない(17)。

またこうした関心の拡大は，ヴァイマールを政治思想史の立場から検討した政治学者・宮田光雄（1928-）の眼にも明らかだった。彼は編著『ヴァイマル共和国の政治思想』（1988年）の「あとがき」において，ヴァイマール研究の現状を次のように総括している。

> 一九三三年一月末に，ナチ・ドイツ＝《第三帝国》の登場によって，ヴァイマル共和国が終焉の日をむかえてから，すでに半世紀以上の歳月がたっている。しかし，わずか一四年という存立期間しかあたえられなかったにもかかわらず，共和国の歴史にたいする関心は，この間に，ドイツの内外において，ますます高くなっているように思われる。わが国においても，とくに近来，おびただしい数の研究書や翻訳書の出版をみるようになった。じっさい，ヴァイマル・デモクラシーの歴史は，たんなる《挫折》のそれに尽きないものをもっている。およそ相似た歴史的条件のなかでデモクラシーの展開と定着とが目差される場合，ヴァイマルの歴史は，限りない教訓をあたえてくれるのではなかろうか。しかし，当初は，ヴァイマル共和国の政治＝経済過程に集中しているかにみえた関心は，いまでは，その文化生活や精神状況にまで拡大されてきているようだ(18)。

ここでは，「教訓の共和国」の存在を辛うじて確認することができるものの，それは〈現在化〉というよりも，むしろ〈歴史化〉にともなうヴァイマール・デモクラシー像の多様化に沿ったものだといえるだろう。

ではこうした中，〈現在化〉の方向性はいかなる形で存続したのだろうか。東西ドイツ双方での史料調査にもとづき，早くも1960年代から独自のヴァイマール政治史研究や比較ファシズム論を展開してきた政治学者・山口定（1934-2013）は，著書『アドルフ・ヒトラー』（1962年初版）の全面改訂版となる『ヒトラーの抬頭』（1991年）が刊行された際，「ワイマール共和国の崩壊の問題と第二次世界大戦後のわが国における『戦後民主主義』体制との比較」について，次のように論点を整理している。

> 敗戦の結果，理想主義的な憲法を持つにいたったが，それを担う勢力は未成熟であり，その定着を保障する権力構造も確立していないという「戦後民主主義」の不安定と危機の問題を機軸とする両者の比較は，わが国が高度成長によって戦後史の第二段階に入った一九六〇年以降の局面で急速にその意義を失ってきていると断ぜるを

(15) 野村平爾「はしがき」清水誠編『ファシズムへの道——ワイマール裁判物語』（日本評論社，1978年），I頁。
(16) 八田恭昌『ヴァイマルの反逆者たち』（世界思想社，1981年），219頁。
(17) ただし，ドイツ本国で台頭している新右翼がヴァイマール・ドイツの保守革命を参照している現状を鑑みると，八田の研究は今こそアクチュアリティを有するようになったともいえる。ドイツの新右翼については，Volker Weiß, *Die autoritäre Revolte. Die Neue Rechte und der Untergang des Abendlandes*, Stuttgart: Klett-Cotta, 2017〔フォルカー・ヴァイス（長谷川晴生訳）『ドイツの新右翼』新泉社，2019年〕を参照。
(18) 宮田光雄「あとがき」同編『ヴァイマル共和国の政治思想』（創文社，1988年），519頁。

えない。そしてそれ以降は，わが国の政治状況をドイツのそれと比較するならばむしろ第二次大戦後の「ボン・デモクラシー」と比較することの方が有益な状況へと一挙に推移したと言える(19)。

山口はここで，林と同じように日本の現状変化を踏まえながら，戦後日本の比較対象としてはヴァイマールではなくボン，つまりは戦後の西ドイツの方が有益であることを認めている。しかしながら，ヴァイマールをめぐる〈現在化〉の方向性を山口は完全には手放さなかった。彼は続ける。

本書で問題の中心に据えている再軍備問題をめぐる推進派と阻止派（その中心としての平和主義的社会民主主義勢力）の対峙という問題や，民主主義擁護派の政治的未成熟ということを基準にすれば，ワイマール共和国崩壊劇のわれわれにとってのアクチュアリティは今なお生き続けていると言えよう(20)。

ヴァイマールへの関心が飛躍的な拡大を遂げた1980年代を経てなお，その挫折や崩壊をめぐる〈現在化〉の動きは，部分的にではあれ存続していたといえる。

2.2 「ファシズムの危険」の否定と「近代」の問題の浮上

ただし，こうした従来型の〈現在化〉が孕む問題性は1990年代以降，よりクリアな形で指摘されるようになる。ヴァイマールの崩壊を経済界の政治的選択という観点から検討した歴史学者・栗原優（1936-）は，その成果を1981年に著書『ナチズム体制の成立』としてまとめた。そして本書の新装版が1997年に刊行された際，栗原は次のようなエピソードを末尾につけ加えている。

本書に関連して，ある新聞社のかたからインタビューを受けたことがあるが，先生は今後日本にファシズムがくる可能性があるとお考えですかと尋ねられた。いや，ないと思いますと答えたら，その記者は混乱したようである。それならなぜファシズム研究などやっているのだと思ったのかもしれない。それからいろいろ説明したがどうも話が噛み合わない。最後にどうもご理解いただけなかったようですね，といったら，その記者も納得して帰られた。同じような経験は何度かした。ある週刊誌が本書を取り上げて，たいそう好意的に紹介してくれているのだが，今後日本にファシズムの危険があるからそのためにも本書を，という調子であり，おやおやと思わざるをえなかった。ある大学の学園祭の講師に呼ばれたとき，自治会の学生が日本のファシズムの危険について一発ぶちあげて，私を紹介してくれた。しかし，私は今後の日本にファシズムの可能性は考えていないというと，その学生はたいそう傷ついた様子だった。聞けば，あとで自治会の機関誌で私がくそみそにやっつけられていたということである(21)。

栗原は本書において，「ワイマル期の独占資本の二類型として，後進帝国主義翼と先進帝国主義翼を設定し前者が労働者に譲歩し得ず帝政やファシズムでないとやっていけない類型，後者が労働者組織と協調可能で，ファシズムとも協調できるが議会制民主主義とも協調できる類型で，むしろ管理主義支配を好む傾向がある」と指摘しており，「日本の今後」をめぐっては「管理主義支配が強化される傾向はあっても，ファシズムの可能性は少ない」と考えていた。そうした栗原にとって，日本における「ファシズムの危険」をことさらに強調する安易な〈現在化〉は，「時評的なステロタイプの問題関心」にほかならず，「歴史の真実を明らかにするための」歴史研究とは相容れない態度であった(22)。

他方，1990年代には新たな〈現在化〉の動きも登場した。政治学者・小野清美（1948-）の議論がそれである。著書『テクノクラートの世界とナチズム』（1996年）において，ヴァイマール期（厳密には19世紀末から1930年代）に産業合理化を主張したテクノクラートたちの思想を検討した小野は，彼らの「時代との格闘」が「ほぼ一世紀をへて日本に生きる私たちにとって，けっしてよその国の昔の出来事ではなく，今こそ，これと真摯に向き合い，豊かな教訓を引き出すべき素材だと確信している」とした上で，次のように続ける。

「経済大国」，科学技術の進歩という点では高度な「近代化」をとげ，「大衆社会」状況，「価値の空白」状況が深化する一方で，この国の政治・経済・行政においては「人権」や「民主主義」という西欧から輸入した近代的価値が血肉化されていないことを思い知らされる事例に事欠かない。そしてこの二つの側面は，ドイツでもそう

(19) 山口定「文庫版あとがき」同『ヒトラーの抬頭――ワイマール・デモクラシーの悲劇』（朝日新聞社，1991年），413-414頁。
(20) 同上。
(21) 栗原優「新装版へのあとがき」同『ナチズム体制の成立――ワイマル共和国の崩壊と経済界』（新装版，ミネルヴァ書房，1997年），531-532頁。
(22) 同上。

であったように，相互に規定しあっているのである[(23)]。

本書が刊行されたのは，バブル経済の崩壊直後である。「経済大国」への道を一挙に駆け上り，そして大きな挫折を経験した当時の日本において，こうした「近代」の問題はある種の切実さとアクチュアリティをもって受け止められたといえる。そしてヴァイマールはここにおいて，新たに「古典的近代」（デートレフ・ポイカート）[(24)]として〈現在化〉されるに至った。それは「ファシズムの危険」をことさらに強調する安易な〈現在化〉の問題が露呈する中にあって，ドイツ本国での議論を参照しながら提示された，「教訓の共和国」のポストモダン的刷新であったといえよう。

3 再帰化する教訓—— 2000年代

3.1 同時代文脈への内在

「戦後民主主義」の問題を強く意識しながら構築されてきた「教訓の共和国」は，以上のように1980/90年代にひとつの転換期を迎えた。ただし2000年代に入ると，今度は「民主主義」への信頼そのものが大きく揺らぐことになる。ヴァイマール期に活躍したテクノクラートに「近代」の矛盾を見出した小野は，続けてエリート主義の立場からナチズムと対峙したヴァイマール末期の「青年保守派(Jungkonservative)」に注目し，著書『保守革命とナチズム』(2004年）を上梓した。彼女はそこで，「戦後日本がひたすら手本としてきたアメリカ」が「『九・一一』後，国を挙げて一体となったエモーショナルな高揚のなかで，強弁をもって以外には正当化しがたい戦争への途を突き進んだ」ことを問題視する。その上で「『民主主義』という価値，それを血肉化する課題を叫んでいるだけではすまない問題状況がひろく認識されつつあるように思う」と，前著『テクノクラートの世界とナチズム』における自身の見解に一部修正を加えるのである[(25)]。

「とはいえ，この現実をどう打開していけばよいのかについて，なにか妙案となる方向性や処方箋を提起することは容易ではなく，私にそのような能力はない」とする小野は，「それでも，ドイツ現代史に携わるものとして，右のような問題意識（本書は縦書きであることに留意——今井）をもって歴史と真剣に対話することならば可能である」とし，次のように続ける。

言うまでもなくワイマル共和国の崩壊は古くから多くの研究者の関心を集めてきた。だが，われわれには共和国の崩壊過程から虚心坦懐に学ぶという課題，つまり，すべてが経過し終わった後に確立した認識や価値観，ましてやイデオロギー的先入見によって裁断することなく，当時のドイツの現実と時代の文脈に内在しつつそこから学ぶという課題がなお残されているように思われるのである[(26)]。

打開策の見えない現実を前にしながらも，「当時のドイツの現実と時代の文脈に内在しつつそこから学ぶ」という姿勢は，〈歴史化〉の営みをそのまま実践課題とするものといえる[(27)]。またそれは，これまで日本のドイツ研究（者）が採用してきたヴァイマールに対する認識やアプローチを相対化し，いま一度見直すための作業でもあった。

同時代文脈への内在を重視し，それをもって従来の研究における認識やアプローチに再考を促す姿勢は，歴史学者・原田昌博（1970-）の議論にも通底する。彼は著書『ナチズムと労働者』(2004年）において，「ホロコーストをはじめとするナチス時代の負の遺産と正面から向き合い，それを歴史の教訓とすることはわれわれに課せられた義務である」としながらも，その一方で「ワイマル共和国末期に社会民主党（自由労働組合）や共産党（RGO）と同じようにストライキを訴えるナチス（NSBO）の向こうに誰がホロコーストをイメージできたであろうか」との問いを発する。

当時を生きた人びとの目線に立つ時，ナチスのイメージはわれわれの思い描くものとは必ずしも一致しない。だからこそ，ナチズムに関する議論はホロコーストや抑圧・テロルのみを取り出し，その結末を「対岸」に立って断罪すればそれで事足りるほど単純なものではないのである。そうすることで陥る一種の思考停止状態の中では，ナチズムがなぜあれほどの支持を得て成長しドイツを支配できたかという疑問には決して答えることはできないだろう[(28)]。

(23) 小野清美『テクノクラートの世界とナチズム——「近代超克」のユートピア』（ミネルヴァ書房，1996年），407-408頁。
(24) Detlev J. K. Peukert, *Die Weimarer Republik. Krisenjahre der klassischen Moderne*, Frankfurt a.M.: Suhrkamp, 1987.〔デートレフ・ポイカート（小野清美／田村栄子／原田一美訳）『ワイマル共和国——古典的近代の危機』（名古屋大学出版会，1993年）〕
(25) 小野清美『保守革命とナチズム—— E・J・ユングの思想とワイマル末期の政治』（名古屋大学出版会，2004年），363-364頁。
(26) 同上。
(27) そしてこうした実践性において，猪木の「虚心瞻懐に反省して見る」姿勢と小野の「虚心坦懐に学ぶ」姿勢は，〈現在化〉か〈歴史化〉かというベクトルの違いはあれ，共通性を有している。
(28) 原田昌博『ナチズムと労働者——ワイマル共和国時代のナチス経営細胞組織』（勁草書房，2004年），345-346頁。

こう述べた上で，ヴァイマール共和国とそこで台頭したナチズムの問題を，「当時を生きた人びとの目線」を踏まえて解き明かす必要性を訴える原田は，「われわれが意識的に，ある種の願望を込めて行ってきた，『ナチス』と『そうでないもの』の区別がその実あまり明瞭ではなく，ワイマル共和国からナチス体制へのある意味で『平凡』な転換は人びとの抵抗意欲や批判精神を薄め」たのではと指摘する。そして，もし「そうだとすると，われわれにとっての最大の教訓は，ナチスが意外と『平凡』であったことなのかもしれない」との見解を示すのである[29]。ここでは，同時代の主観的文脈の重視という〈歴史化〉を経たのち，そこで明らかとなった「平凡」なナチスの姿を「われわれにとっての最大の教訓」として捉えようとする〈現在化〉がおこなわれているといえよう。

3.2　ヴァイマール研究の教訓

敗戦から半世紀以上が経過した日本のドイツ研究では，このように従来のヴァイマール研究とその視点を相対化し，新たな展望を示そうとする動きが活発化した。これはつまるところ，「教訓の共和国」それ自体が教訓の対象に含まれたことを意味している。そしてこうした流れを受け，歴史学者の田村栄子（1942-）と星乃治彦（1955-）は論集『ヴァイマル共和国の光芒』（2007年）を編むに至った。そこでは，この間のヴァイマール研究の歩みが批判的に検討・継承されるとともに，ヴァイマールがもつ「可能性の時代」としての多様な相貌が改めて浮き彫りにされている。

本書冒頭に配された「ヴァイマル共和国研究史」では，ヴァイマール研究を支えてきた「アクチュアルな関心」とその問題性について，田村が次のようにまとめている。

> 新憲法解説において「世界中で一番民主的」（ヴァルター・イェネリック）と宣伝されたヴァイマル憲法をもって出発したヴァイマル共和国がわずか一四年にして崩壊し，ナチス政権に取って代わられた歴史は，その前の第二帝政からヴァイマル民主主義へ，そしてナチス独裁政権へと政治的体制の激変を反映していることから，学問上の関心はいうにおよばず，研究当事者の生きた，また生きている時代に対するきわめてアクチュアルな関心にも支えられて考察されてきたといっても過言ではなかろう。そうしたアクチュアルな関心が，研究に鋭い視点をもたらしたことは否定しがたいが，しかしまた研究がなされる「現在」的問題意識に強くとらわれるあまり，ある一面の強調に陥ったりする危うさをかかえこむかもしれないという問題性もないとはいえないであろう[30]。

田村のこの指摘は，ヴァイマールの有する時代性や多様性が，〈現在化〉を通じた「ある一面の強調」により削ぎ落とされてしまうことへの危惧からなされたものといえる。さらにこの問題については，政治学者・熊野直樹（1965-）が「ヴァイマル・モデルネ（近代）」への遡及的アプローチを批判する文脈から，本書所収の論文でより踏み込んだ指摘をおこなっている。

> 現代に対する批判的な問題意識ないしは視角からの歴史の見直しは必要である。しかし，われわれが歴史を考察する際に常に注意しなければならないのは，現代の問題をそのままアプリオリに過去に投影し，当てはめるという一種のアナクロニズムである。そこでは，歴史的な脈絡が欠落して過去があたかも現代の反映であるかの如く描かれることになる[31]。

こうした「歴史的な脈絡」の「欠落」への警鐘は，ポイカート的な「古典的近代」の議論を引き継いだ先行研究において，「ナチズムの野蛮とモデルネの危機との因果関係が強調される場合，ヴァイマル共和国はもっぱらモデルネの時代として想定されており，しかも現代文化の原型として性格規定されている」点を踏まえてのものである。そこでは，ヴァイマールのもつモデルネ以外の要素，すなわち反モデルネやプレモデルネの実態が捨象されたまま，「ヴァイマールからナチズムへ」の連続性の議論が展開されることへの注意が喚起されたのであった[32]。

3.3　政治的実践課題の再浮上

「教訓の共和国」自体が再帰的に教訓化される中で，2000年代にはヴァイマールを「古典的近代」として〈現在化〉しようとする動きもまた，その学問的妥当性の点で再審を余儀なくされた。しかしながら，これは決して「教訓の共和国」の終焉を意味しない。田村とともに『ヴァイマル共和国の光芒』を編んだ星乃は，ヴァイマール末期の反ナチ「抵抗」運動という古典的テーマについて，草の根（グラスルーツ）的視点から長年にわたり検討を続けてき

(29) 同上。
(30) 田村栄子「ヴァイマル共和国研究史」同／星乃治彦編『ヴァイマル共和国の光芒――ナチズムと近代の相克』（昭和堂，2007年），2頁。
(31) 熊野直樹「ヴァイマル・モデルネをめぐる相克――都市ヴァイマルを事例として」田村／星乃編『ヴァイマル共和国の光芒』，185-186頁。
(32) 同上。

た。星乃はその成果である著書『ナチス前夜における「抵抗」の歴史』(2007年)において，本書の意図を次のように説明する。

> 私が危機感を持つのは,「ファシズム」側の強さに対してというよりも，それに対抗すべき有力な抵抗の主体が朦朧としていることである。アメリカでさえブッシュ大統領の横暴に対してグラスルーツ的な反作用がはたらくのに，日本ではそれを実感することが少なく，このまずるずると行くのではないかという危機感である。では，歴史的教訓としてはどこに求められるだろうか，というのが本書の意図しているところである(33)。

ここにおいては，敗戦から1950年代までの研究に顕著にみられた政治的実践課題の意識が再浮上していることがわかる。ただし星乃が問題とするのは，かつて叫ばれたような「ファシズムの危険」ではなく，むしろ現代日本において「ファシズム」側への「有力な抵抗の主体が朦朧としている」ことであり，ここではそのような現状への「危機感」がヴァイマール末期に「歴史的教訓」を求める姿勢へとつながっている。それは猪木や吉村の姿勢から連続するものでありながらも，ヴァイマールと現代日本の間に決定的な差異を認める点で断絶しており，その意味で〈歴史化〉を前提としていた。

またヴァイマール研究をめぐる教訓の再帰化は，これまであまり顧みられてこなかったヴァイマールのもつ新たな側面を照らし出す契機をもたらし，それがさらに新たな政治的実践課題とも響き合う結果をもたらした。経済学者・枡田大知彦(1968-)は著書『ワイマール期ドイツ労働組合史』(2009年)において次のように述べる。

> ワイマール期の労働運動の研究においては，これまでとくにそのイデオロギー的な側面あるいはイデオロギー的な対立が，まずもって重要視されてきた。こうした側面の重要性を完全に否定するつもりはない。だが，本書は，ワイマール期において，そうした対立とは別に，異なった形での対立・問題が，労働組合運動に存在したことを示したかった。政治的信条が強く打ち出される場面自体が減少している現在のわが国では，フリーター，派遣労働者といった非正規雇用者の増大に見るように，雇用形態の多様化が進展し，被用者間のつながりが希薄になる傾向が強く見受けられる。こうした状況の中，2008年の秋以降,「雇用危機」という問題が明確に姿を現すに至った。今後，何らかの形で，被用者の結集の「軸」(「旗」)を構築していかなくてはならないのではないか，と漠然と思う。そうしたことを考えるうえでも，不熟練・熟練という差異のみならず職業的な差異を乗り越えた労働者の組織化という課題を，イデオロギー的な側面からは一定の距離を保ちつつ激しく議論したワイマール期の「組織問題」が，何らかの示唆をもつものであれば，と考えた。これが，ワイマール期の「組織問題」研究に没頭してきた中で，ふと顔をあげ，周りを見回したとき，しばしば抱いた率直な想いである(34)。

かつての研究で注目されたヴァイマール期労働運動の「イデオロギー的な側面あるいはイデオロギー的な対立」は，日本社会で「政治的信条が強く打ち出される場面自体が減少」する中にあって，逆にアクチュアリティを失った。枡田はむしろ「雇用形態の多様化」や「つながり」の希薄化，そして2008年秋のリーマンショックに起因する「雇用危機」という新たな現実を前に,「被用者の結集の『軸』(『旗』)を構築」するという課題を意識し，これまで自身が従事してきた「組織問題」研究の意義をそこに見出すのである。〈歴史化〉が「ふと顔をあげ，周りを見回したとき」，結果として〈現在化〉にもなっていた好例であろう。

以上のように，2000年代にはヴァイマール研究をめぐる教訓の再帰化が進む中で，基本的には〈歴史化〉が前景化するものの，その過程では〈歴史化〉と新たな形での〈現在化〉が混在し，また混合する光景もみられた。そこでは研究もまた(政治的)実践課題であることが意識されるとともに，歴史の中から政治的実践課題が再び見出されることにもなった。

さらに付け加えると，教訓の再帰化はまた,「ヴァイマール・デモクラシーと『戦後民主主義』」というテーマを「古くて新しい問題」へと押し上げた。政治学者・加藤哲郎(1947-)は，戦前洋行知識人のヴァイマール体験と「戦後民主主義」との関係を探るべく，ヴァイマール期ベルリン日本人反帝グループの実態を解明した。彼はその著書『ワイマール期ベルリンの日本人』(2008年)を，次の一節で結んでいる。

> 日本国憲法施行から六〇年たって,「戦後民主主義」の行方も危うくなってきた。そこに「横からの入力」として一つの足跡を刻印したドイツ・ワイマール民主主義の雰囲気を記録に遺すためにも，そろそろ一書にまとめ

---

(33) 星乃治彦『ナチス前夜における「抵抗」の歴史』(ミネルヴァ書房，2007年)，259-260頁。
(34) 枡田大知彦『ワイマール期ドイツ労働組合史——職業別から産業別へ』(立教大学出版会／有斐閣，2009年)，282-283頁。

ざるをえなくなった[35]。

ここでは日本の「戦後民主主義」，そして岡以来のヴァイマール研究を支えた問題関心の古層ないし前史として，ヴァイマール・デモクラシーとその経験が改めて位置づけられたといえよう。

むすびにかえて――「ポスト3.11」「ポスト真実」の時代における教訓

2010年代もいよいよ終わりを迎えようとしている。この時代における「教訓の共和国」の歩みを辿り整理することは，いささか時期尚早のように思われる。よってここでは，現時点での暫定的なまとめを記すことで，本稿のむすびにかえたい。

「私のドイツ現代思想の研究も日本社会の変化から影響を受けているのは当然である」と述べるのは，1970/80年代にヴァイマール期の政治思想史研究を大きく前進させた政治学者・蔭山宏（1945-）である[36]。彼はその集大成ともいえる著書『崩壊の経験』（2013年）において，自らの研究の動機を「ワイマール時代の『文化的多産性』に印象づけられたため」としながら，次のように告白する。

> 崩壊と文化的多産性は深いところで通底しているのだ。日本の社会において崩壊を意識したのは一九七〇年代と二〇〇〇年前後のことである。社会が大きく変わったための崩壊である。学生を前に一九七〇年前後に明治以降最大の変化があったなどと大口をたたいていたが，気づいてみれば二〇〇〇年前後にそれ以上の変化があったのかもしれない。最初の崩壊にはついていけたかもしれないが，二番目の崩壊については共感的に理解できてはいない[37]。

自身が学生・院生時代を過ごした1970年前後の日本社会の「崩壊」に「明治以降最大の変化」を認める蔭山ですら，2000年前後の「崩壊」には「共感的に理解でき」なかった。このことは上でみたような2000年代におけるヴァイマール研究のドラスティックな変化とも決して無関係ではなかろう。

では，このようにヴァイマール研究者ですら理解に苦しむ日本社会の「崩壊」を経た後のドイツ研究において，「教訓の共和国」はどのような形で表出するのだろうか。ここでは最後に，一般向けの新書からふたつの事例を紹介したい。

ひとつめは，これまでナチズムや反ファシズムに関する数々の著作を世に問い続けてきた文学者・池田浩士（1940-）の著作『ヴァイマル憲法とヒトラー』（2015年）からである。終戦70周年に発表した本書において，「戦後民主主義からファシズムへ」の過程に改めて注意を促す池田は，「私自身はヒトラーの心酔者でもナチズムの共感者でもありません」と断りを入れながら，こう続ける。

> けれども，ヒトラーに心酔したりナチズムに共感したりする人びとと自分がまったく無縁だとは，どうしても思えません。これは，現在の日本で「在日」と彼らが呼ぶ隣人たちに卑劣な暴力的言動を向ける人びとと自分との関係についても，言えることです。私は彼らの卑劣さを心から軽蔑し彼らを唾棄しますが，彼らと自分とはまったく無縁だ，と言う勇気は私にはありません。もしも自分がヴァイマル時代のドイツに生きていたとしたら，あるいは現在日本の卑劣で暴力的な差別者たちと同じような境遇に生きていたとしたら，私は，ほぼ疑いなく，ヒトラーに心酔し，ナチズムに共感し，卑劣な暴力的言動を「特権的な在日外国人」に対して投げ付ける側にいたでしょう[38]。

ここで池田が意識しているのは，2011年3月11日の東日本大震災とそれにともなう福島第一原子力発電所事故を契機に，日本各地で社会運動が再び活況を呈する中で先鋭化した排外主義運動，とりわけ「在日特権を許さない市民の会（在特会）」に代表されるそれであろう。「もしも自分が…生きていたとしたら」という池田の仮定は，「ヴァイマル時代のドイツ」と「現在日本」の双方に適用され，そこではナチと「卑劣で暴力的な差別者たち」が重ね合わされる。それは〈歴史化〉と〈現在化〉を敢えて混濁させた論法であり，ヴァイマールのアクチュアリティを再活性化させる試みといえよう。

ふたつめは，歴史学者・石田勇治（1957-）が同じく終戦70周年に世に問うた最新の概説書『ヒトラーとナチ・ドイツ』（2015年）からである。石田はここで，「日本が近代化を遂げる過程で『模範』とした国」ドイツが，「その後，二〇世紀になってどのような道をたどったか，詳しいことは，案外，知られていないのではないでしょうか」と，ドイツ研究者にとっての常識を，一般目線から敢えて

---

(35) 加藤『ワイマール期ベルリンの日本人』，296頁。
(36) その成果としては，蔭山宏『ワイマール文化とファシズム』（みすず書房，1986年）が挙げられる。
(37) 蔭山宏『崩壊の経験――現代ドイツ政治思想講義』（慶應義塾大学出版会，2013年），540頁。
(38) 池田浩士『ヴァイマル憲法とヒトラー――戦後民主主義からファシズムへ』（岩波書店，2015年），283頁。

脱構築する。インターネット上のソーシャル・ネットワーキング・サービス（SNS）を中心に，ヒトラーとナチ・ドイツに関する根拠のないデマが飛び交い，それが特定の人種・民族や政治勢力，そしてマイノリティへの憎悪にも結びつけられている昨今の状況において，この問題提起が有する意味は大きい。しかし石田はそれにとどまらず，「ヴァイマールからナチズムへ」の転換の歴史を学ぶ意義を，次のように再定位する。

> とくにヒトラーのようなレイシストが巨大な大衆運動のリーダーとなって首相にまで上りつめた経緯や，ヴァイマル共和国の議会制民主主義が葬り去られ，独裁体制が樹立された過程，さらにナチ時代のユダヤ人の追放政策が未曾有の国家的メガ犯罪＝ユダヤ人大虐殺（ホロコースト）へ帰着した展開は，ドイツ現代史・歴史学の枠をはるかに越えて，二一世紀を生きる私たちが一度は見つめるべき歴史的事象であるように想います[39]。

これまでもっぱら戦後日本にとっての教訓とされてきたヴァイマールの政治過程は，ここにおいて「二一世紀を生きる私たちが一度は見つめるべき歴史的事象」の一部として，より広範かつユニヴァーサルな教訓へと発展を遂げた。今後の日本社会が種々の点でさらなる多様化を遂げるであろうことを想定すれば，この指摘はヴァイマール研究における「次の100年」を見据える上で，ひとつの指針になると考えられよう。

戦後日本のドイツ研究において紡がれてきた「教訓の共和国」をどう引き継いでいくのか，またそれ自体をさらにどう教訓としていくのかは，筆者（1987-）を含めた後続の研究者が今後向き合っていくべき課題である。そのことを強く意識しながら，ひとまずは本稿を終えたい。

＊本稿は，2014-2016年度科学研究費補助金（特別研究員奨励費，課題番号：14J02680），2018-2020年度科学研究費補助金（若手研究，課題番号：18K12536）の交付，ならびに2017年度九州大学QRプログラム（わかばチャレンジ）による研究成果の一部である。

(39) 石田勇治『ヒトラーとナチ・ドイツ』（講談社，2015年），348頁。

シンポジウム

ヴァイマール文化イメージの変遷

速水淑子

1 「ヴァイマール文化」と「ヴァイマール共和国」

敗戦，革命，内乱とともに幕を開けたヴァイマール共和国では，激動する社会を映すように，表現主義やダダが花開き，一部の作家たちは政治的に先鋭化して動乱を煽動した。その混乱は1923年のルール占領とインフレで頂点を迎えるが，ヴェルサイユ条約履行政策によって外交・経済面で相対的安定をみたシュトレーゼマン時代には，芸術様式もより現実的な新即物主義へ移行し，ベルリンを中心に都市消費文化が花開く。ドーズ案を通じてアメリカの資本と文化が流れ込み，社会進出をはたしたモダンガールや，労働法規の整備によって余暇を得たサラリーマンが，映画やラジオを楽しみ，スポーツ競技場やダンスホールに足を運んだ。彼らを主人公にしたルポルタージュ的文学作品が書かれ，デッサウに移転したバウハウスでは工業生産に適した機能的なデザインが追求される。この「黄金の20年代」はしかし，1929年の世界恐慌によって終わる。共和国末期の数年間は，ナチの勢力拡大と並行するように，文化面ではキッチュと軍国主義的宣伝がはびこり，前衛文化を押しのけてしまった。――「ヴァイマール文化」として我々が思い浮かべるのは，このような新しい，そしてつかの間に終わった文化現象，分野を横断して興った前衛芸術運動と，ベルリンの享楽的な消費文化，さらにそれらを論じたエルンスト・ブロッホ，ジェルジ・ルカーチ，ヴァルター・ベンヤミン，ジークフリート・クラカウアー，カール・マンハイムら，主に大学外で活動した左派でユダヤ系の思想家たちであろう(1)。

こうした「大都市・モデルネ・左派」を中心としたヴァイマール像に対して，近年の歴史研究は，帝国時代との連続性と地域的な多様性を強調し，選挙活動や街頭デモで用いられた図像や言説も視野に入れることで，より保守的な共和国文化像を描こうとしている。こうした傾向を総括するように，前衛的で左派的な大都会「ベルリン」にかえて，バウハウスを追放しヴィルヘルム・フリックが最初の文化パージを遂行した保守的な地方都市「ヴァイマール」こそを，ヴァイマール文化イメージの中心に据えようとする動きもある(2)。本報告ではこうした研究動向を念頭に，「ヴァイマール文化の神話」(3)として近年批判されている「モデルネ・大都市・左派」のイメージが，なぜ，どのように形成されたのかを検討したい。

その際まず留意すべきはカテゴリーの問題である。○○文化，○○運動といった用語はおおよそ，その概念自体の成立事情をふまえて用いる必要があるが，「ヴァイマール文化」，「ヴァイマール共和国の文化」という範疇については，それが文化史上の区分でありながら政治史の時代区分を用いている点で，二重に注意を要する。たとえば時代的に隣接する「ベル・エポック」，「ウィーン・モデルネ」，「ジャズ・エイジ」といった時代区分は，ひとつの政治体制内の一時期における，あるいは複数の政治体制にまたがる文化現象を指している。ヴァイマール期のように政治体制に対応する形で文化概念が存在するケースは，むしろまれであるといえよう。以下に見るように「ヴァイマール文化」イメージの内実が，しばしば共和国の時間的空間的輪郭と一致していないことを考えると，この区分の特殊性はより際立って感じられる。背景にあるのは言うまでもなく，それに続くナチ時代への関心である。ヴァイマール文

(1) 典型的な記述として以下を参照。Peter Gay, *Weimar Culture. The Outsider as Insider*, New York: Harper & Row, 1968, pp. 119-120.〔ピーター・ゲイ（亀嶋庸一訳）『ワイマール文化』（みすず書房，1999年），146頁〕; Eberhard Kolb, *Die Weimarer Republik*, München: R. Oldenbourg, 1984, S. 91-106.〔E. コルプ（柴田敬二訳）『ワイマル共和国史――研究の現状』（刀水書房，1987年），145-168頁〕。Weimarの日本語表記はさまざまだが，本論文ではシンポジウムの題名「ヴァイマール100年」にあわせ，引用訳文も含めて「ヴァイマール」で統一した。

(2) Benjamin Ziemann, “Weimar was Weimar. Politics, Culture and the Emplotment of the German Republic”, *German History*, 28 (4), 2010, pp. 542-571; Jochen Hung, “ ‘Bad’ Politics and ‘Good’ Culture. New Approaches to the History of the Weimar Republic”, *Central European History*, 49, 2016, pp. 441-453.

(3) Hung, “ ‘Bad’ Politics and ‘Good’ Culture”, p. 452.

化は，一方でナチとは異なる別の未来を投影した理想像として，他方でナチを生み出した「モデルネ」の病理の原型として，ナチ時代との両義的関連において描かれてきた。前者の解釈は，主に1960年代から70年代にかけて，特に亡命者によって提示され，冷戦下の西ドイツとアメリカで受容された。それに対して後者は80年代以降，ポスト・モダン思潮のなかで登場し，ドイツとアメリカだけでなく，日本を含めひろく先進工業国で受容されたものといえよう。

ヴァイマール文化イメージを構成する事象が実際には「ヴァイマール共和国」の輪郭からはみ出していることは，「ヴァイマール文化」あるいは「ヴァイマール共和国の文化」の概念が広がりだした60年代から，すでにしばしば指摘されてきた。時間軸でみれば，フランク・ヴェデキントの『春の目覚め』の発表は1891年，ブリュッケ結成は1905年，『青騎士』発行は1912年，アルノルト・シェーンベルクが『月に憑かれたピエロ』を作曲したのが1912年と，表現主義の最盛期はむしろ第一次大戦前であったし[4]，バウハウスの始まりは，戦前のノイエス・ヴァイマールにまでさかのぼることもできる[5]。ヴァイマール文化の終わりは，恐慌の起こった1929年に求められることが多かったが，近年ではそれに反論する形で，革新的で実験的な文化活動は恐慌後も続いており，共和国崩壊後，1933年5月の焚書の直前でさえ活発であったと主張されるようになった[6]。時間的なずれだけではない。地理的にも，シェーンベルク，ジークムント・フロイト，カール・クラウスはウィーンで活動し，ベンヤミンはパリやデンマークの，エルンスト・ブロッホはスイスやアメリカの亡命先で主要著作を執筆したのである。

ヴァイマール文化イメージと共和国の輪郭のこうした不一致を問題視するならば，スチュアート・ヒューズのように「1890–1930」の「ヨーロッパ」という実態により即した区分を用いるか，熊野直樹のように「ヴァイマール文化」の用語で20世紀初頭の文化的アヴァンギャルドと大都市大衆（消費）文化のみを指すと明確に限定するべきなのかもしれない[7]。一方で，歴史的事実との不一致を自覚しつつ，「ヴァイマール文化」ないし「ヴァイマール精神」の概念をあえて理念型として用いる立場も見受けられる。たとえば蔭山宏は，「年表的時代区分に照応するワイマール時代の文化全般（ワイマール・カルチャーズ）」から「固有の意味でのワイマール文化（ザ・ワイマール・カルチャー）」を取り出し[8]，ピーター・ゲイは「ヴァイマール文化」のなかから「ヴァイマール精神」を析出する。以下ではまず，このゲイの議論をふりかえることで，60年代の「前衛芸術・左派」的なヴァイマール像の成立背景を考察し，続いて80年代に「都市・大衆」のイメージが加えられた様子を，デートレフ・ポイカートと蔭山の議論のなかにみていきたい。

2 亡命者の目からみたヴァイマール共和国——前衛的・左派的ヴァイマール像の形成

ヴァイマール時代の文化への関心は60年代に映画と軽音楽の分野ではじまったとされるが[9]，個別に論じられていたさまざまな文化事象を，「ヴァイマール文化」のカテゴリーのもとではじめて総合的に叙述したのは，ゲイの『ヴァイマール文化——インサイダーになったアウトサイダー』（1968）であった。ゲイはここで，先に概観したようなヴァイマール文化史の流れを描くとともに，国際的な傾向を持った「ユダヤ人，民主主義者，社会主義者」という帝政時代のアウトサイダーが活躍を許された点にその特徴をみる。ゲイはなかでも，表現主義，新即物主義，バウハウスの作家たちと，「理性の共和主義者」を高く評価し，彼らを「ヴァイマール精神」の担い手とみなしている。

こうしたゲイの評価が，「左派・前衛芸術」に偏ったヴァイマール文化像の形成に与ったことは間違いない。ゲイの「ヴァイマール精神」像がいささか強引であることは，表現主義の評価においてもっとも強く表れている。ここでゲイは，表現主義の芸術家の一部が明確に共和国に敵対していた事実を認めながらも，表現主義の作家らが「自覚的にであれ，知らず知らずのうちにであれ」ヴァイマール精神に参加しているとの意識を共有していたという理由から，そして「ヴァイマールの敵はすべての表現派を憎んでいた」という理由から，彼らをヴァイマール精神の担い

（4）1960年ミュンヘンのシンポジウムでは，表現主義を共和国時代の文化に含めるか否かをめぐって，ブルーノ・ヴェルナーとルートヴィヒ・マルクーゼが激しく衝突している。Leonhard Reinisch (Hrsg.), *Die Zeit ohne Eigenschaften. Eine Bilanz der zwanziger Jahre*, Stuttgart: Kohlhammer, 1961, S. 50-53, 181-194.

（5）熊野直樹「ヴァイマル・モデルネをめぐる相克——都市ヴァイマルを事例として」田村栄子／星乃治彦編『ヴァイマル共和国の光芒——ナチズムと近代の相克』（昭和堂，2007年），185–214頁。

（6）Sabina Becker, *Experiment Weimar. Eine Kulturgeschichte Deutschlands 1918-1933*, Darmstadt: wbg Academic, 2018, S. 25-26.

（7）H. Stuart Hughes, *Consciousness and Society. The Reorientation of European Social Thought 1890-1930*, New York: Alfred A. Knopf, 1958; 熊野「ヴァイマル・モデルネをめぐる相克」188–189頁。

（8）蔭山宏『ワイマール文化とファシズム』（みすず書房，1986年），108頁。

（9）Walter Laqueur, *Weimar. A Cultural History 1918-1933*, London: Weidenfeld and Nicolson, 1974, p. 273.〔ウォルター・ラカー（脇圭平／八田恭昌／初宿正典訳）『ワイマル文化を生きた人びと』（ミネルヴァ書房，1974年），345頁。〕

手に加えている(10)。

ただしゲイは，ヴァイマール文化の叙述に際して「前衛・左派」文化のみを扱っているわけではない。同書の半分以上は，「退行的文化」と呼ばれるさまざまな文化現象の記述にあてられている。そこでは，直観的な神秘主義，理性の拒絶と非合理性の称揚，根源性と全体性への切望といったキーワードのもとで，ゲオルゲ派，リルケの流行，青年運動，フルードリヒ・ヘルダーリンとハインリヒ・フォン・クライストの神聖化が批判的に論じられる。ゲイはこれらの文化事象が，直接ナチを支持したわけではないにしても，共和国に反対し暴力を肯定し指導者への絶対服従を求める思潮と結びつき，ナチの台頭に手を貸したと論じている。ナチス台頭の露払いとして，ヴァイマール共和国における反知性主義の流行に注目する議論は，ゲイの著作以前にすでに，ルカーチ『理性の破壊』(1954)，ヘルムート・プレスナー『遅れてきた国民――市民精神の政治的脆弱性』(1959)，クルト・ゾントハイマー『ヴァイマール共和国の反民主主義思想』(1962) などが行ってきた(11)。ゲイの著作は，これらの反知性主義の担い手たちと，「別のドイツとヴァイマールの精神の最良のものとを代表するアウトサイダー」(12)がせめぎあう場として，ヴァイマール文化の全体像を描き出そうとしたものであった。同時代にすでにカール・ショースキーが指摘したように，副題とは異なり，ゲイの叙述の中でこのアウトサイダーたちは決して「インサイダー」としては現れてこない(13)。それにもかかわらず，ゲイはあえてこの「現実になろうとした一つの理想」(14)を「ヴァイマール精神」と呼び，彼らにヴァイマール文化を代表させているのである。

ゲイのヴァイマール像にみられるこうした偏りは，亡命者としての立場に由来していよう。1923年生まれのゲイよりも16歳上で同じく亡命者であったヘンリー・パクターは，1982年に公刊された遺稿集で，「黄金の20年代」像が，亡命生活のなかで出来上がったユートピア的イメージであったことを指摘している。亡命を余儀なくなされた者にとって，ヴァイマール共和国はなによりも，ナチ政権下で失われた文化事象が存在を許された場所として認識された(15)。ナチはヴァイマールの「体制 (System)」を一掃するとして，自身の権力掌握の妨げになるあらゆる文化現象を迫害した。そこには左派的ないし批判的主張を含むもの，宣伝に適さないもの，ユダヤ系作家によるものといったさまざまな対象が含まれていたが，それらが「文化ボルシェヴィズム」の名で一括されてしまったのである。焚書リストに載り，退廃芸術展に展示された作品がきわめて多様であるように，ナチが敵対視した文化事象が，必ずしも明確に反ナチあるいは親共和国で一致していたわけではない。しかし亡命者のあいだではこれらが逆に，「ヴァイマール文化」のまとまりとして捉えられることになった。パクターはさらに，こうして作られたヴァイマール像の左派的側面が強調されるようなった事情として，1932年以降の人民戦線の影響を挙げている。人民戦線のもとではじめて可能になった反ナチ勢力の共闘が，共和国時代に投射され，願望と旗印としての「ヴァイマール知識人」像が作られたとするのである(16)。

ナチ時代に亡命者によってドイツ国外で作り出された「反ナチ」的なヴァイマール文化イメージは，冷戦構造下の西側諸国において新たな意味を与えられることになる。共産主義がナチと同様の全体主義とみなされ，それと同時に，ヴァイマール共和国にアメリカ的な自由主義とデモクラシーが投影された(17)。視覚芸術，文学，音楽においては，ソ連の社会主義リアリズムに対抗する形でヴァイマール期の前衛芸術が称揚され，アメリカがヴァイマールの遺産相続人とみなされた(18)。絵画史におけるフォルマリズムの言説は，そうした傾向を後押ししたにちがいない。そこでは19世紀末から20世紀初頭にヨーロッパで生まれた

(10) Gay, *Weimar Culture*, pp. 108-109.〔邦訳，130−131頁。〕

(11) Georg Lukács, *Die Zerstörung der Vernunft*, Berlin: Aufbau, 1954, S. 473, 577-662.〔ジェルジ・ルカーチ（暉峻凌三／飯島宗享／生松敬三訳）『ルカーチ著作集13巻――理性の破壊（下）』167, 319−440頁〕; Helmuth Plessner, *Die verspätete Nation. Über die politische Verführbarkeit bürgerlichen Geistes*, Stuttgart: W. Kohlhammer, 1959〔ヘルムート・プレスナー（松本道介訳）『ドイツロマン主義とナチズム――遅れてきた国民』（講談社，1995年）〕; Kurt Sontheimer, *Antidemokratisches Denken in der Weimarer Republik. Die politischen Ideen des deutschen Nationalismus zwischen 1918 und 1933*, München: Nymphenburger, 1962, S. 72-75.〔クルト・ゾントハイマー（河島幸夫／脇圭平訳）『ワイマール共和国の政治思想――ドイツ・ナショナリズムの反民主主義思想』（ミネルヴァ書房，1976年），54−56頁。〕

(12) Gay, *Weimar Culture*, pp. 76-77.〔邦訳，92頁。〕

(13) Carl E. Schorske, "Weimar and the Intellectuals II", *The New York Review of Books*, May 21, 1970, p. 22.〔カール・E. ショースキー「ワイマールの死とドイツ知識人（下）」『世界』1971年3月号，150頁。〕

(14) Gay, *Weimar Culture*, p. 1.〔邦訳，1頁。〕

(15) Henry Pachter, *The Weimar Etudes*, New York: Columbia UP, 1982, p. 116.〔ヘンリー・パクター（蔭山宏／柴田陽弘訳）『ワイマール・エチュード』（みすず書房，1989年），133頁。〕

(16) Pachter, *The Weimar Etudes*, p. 117.〔邦訳，134頁。〕

(17) Jost Hermand/ Frank Trommler, *Die Kultur der Weimarer Republik*, München: Nymphenburger, 1978, S. 8-9.

(18) Hermand/ Trommler, *Die Kultur der Weimarer Republik*, S. 9.

モダニズム絵画（クレメント・グリーンバーグはワシリー・カンディンスキーを取り上げている）が，戦後はアメリカにその中心を移し，ニューヨーク・スクールに代表されるような抽象画へと展開すると論じられた(19)。

アメリカで作られた「反ナチ」的ヴァイマール文化イメージは，戦後ドイツ社会にとっても心地よいものであった。ゴットフリート・ベンのように，実際にはナチに一時加担した芸術家も，戦後になると，自分はナチの犠牲者だったと主張した(20)。エミール・ノルデは戦後，1937−38年の退廃芸術展に展示されたキリスト磔刑図のイメージとともに，ナチに迫害された前衛芸術の象徴的存在になったが，ノルデが反ユダヤ主義者でナチの信奉者であったこと，退廃芸術展への展示は1939年以降，本人の働きかけが功を奏して取り止められたことは，忘れられてしまった(21)。

こうして作られた「反ナチ」のイメージに，60年代半ば以降の新左翼運動は，「左派」のイメージを付け加えた。彼らは20年代の左派知識人とくにフランクフルト学派の思想家，ピスカトールやブレヒトの舞台，ルポルタージュ文学に注目し，しばしばそれらを過大評価する傾向があった(22)。こうしてゲイが『ヴァイマール文化』を発表した60年代後半には，亡命者，自由主義者，新左翼の三つの眼鏡を通した形で，前衛芸術と左派に偏ったヴァイマール像が，ドイツ内外で大勢を占めるようになったのである。

3 「モデルネ」の二面性 ——都市消費文化への注目と近代批判

ただし，ゲイの著述の中心は学問と文学と前衛芸術であり，今日イメージされる「都市消費文化」的な現象については，『カリガリ博士』と『メトロポリス』が批判的に検証されているだけである。ゲイの関心は主に知識人に向けられ，大衆文化に対するまなざしは総じて冷たい。そこには60年代の学生運動に対するゲイの批判的な視線が重ねられている。都市の消費文化が個別の叙述を超えて「ヴァイマール共和国の文化」のカテゴリーで論じられるようになるのは，68年運動ののち，本格的には80年代にはいってのことと思われる。たとえば1974年のウォルター・ラカーのヴァイマール文化論は，ゲイと同じく左右の政治思想と前衛芸術に関する記述がほとんどを占めるものの，9章のうち1章はベルリンの娯楽文化の記述にあてられている(23)。都市消費文化が占める割合は徐々に高まり，1978年には，ヨースト・ヘルマントとフランク・トロムラーが，ヴァイマール文化を近代産業社会における「進歩的な大衆文化」として捉えると宣言している(24)。70年代後半の新しい研究において，大衆文化の隆盛は，一方では保守的な政治社会環境に阻まれて現実化しなかった対抗文化として（ヘルマント／トロムラー），他方ではナチの危険が迫っているという現実から目を背けた「火山口でのダンス」として（ラカー），まずはその政治・社会とは切り離された形で論じられた。

それに対して，共和国の政治社会状況と都市消費文化をともに近代の現象として解釈し，その一面がナチに連続していると論じたのが，ポイカート『ヴァイマール共和国——古典的近代の危機』（1987）であった。ポイカートの議論は，ヴァイマールの近代的文化がドイツ特有の前近代性に阻まれて挫折したとみる「特有の道」論に対して，世紀転換期以降の近代化過程が敗戦を機に急速に進展し，その負の側面が，世界恐慌という不利な条件のもとで極端化してあらわれたという「近代の危機」論を打ち出すものだった。ポイカートが「近代」の特徴としてとりわけ注目するのは，技術によって社会と人間を全面的に操作しユートピア的世界を作ろうとする目的合理主義である(25)。ポイカートはこの傾向を，経済における生産の合理化だけでなく，社会国家政策すなわち社会工学的な発想を持つ教育・福祉政策と，都市消費文化にも見出す。共和国の文化は，労働政策によって生み出された余暇を前提とし，「合理化され，意味を喪失し，消費志向になった」(26)中間層のための規格商品と新メディアの隆盛をもたらし，新技術による生活様式の合理化を推進するものであった。ナチは，

(19) Clement Greenberg, *Art and Culture. Critical Essays*, Boston: Beacon, 1961.
(20) Markus Joch, „Märchenstunde im Radio. Gottfried Benn präsentiert sich als ‚Innerer Emigrant' ", *The Geibun-Kenkyu*, 112, 2017, S. 45-70.
(21) Bernhard Fulda, *Emil Nolde. Eine deutsche Legende. Der Künstler im Nationalsozialismus. Essay- und Bildband*, München: Prestel, 2019, S. 62, 221-241.
(22) Laqueur, *Weimar*, pp. 274-275.〔邦訳，347−348頁〕; Hermand/ Trommler, *Die Kultur der Weimarer Republik*, S. 10; Reinisch (Hrsg.), *Die Zeit ohne Eigenschaften*, S. 224.
(23) Laqueur, *Weimar*, pp. 224-253.〔邦訳，278−320頁。〕
(24) Hermand/ Trommler, *Die Kultur der Weimarer Republik*, S. 12.
(25) Detlev J. K. Peukert, *Die Weimarer Republik. Krisenjahre der Klassischen Moderne*, Frankfurt a. M.: Suhrkamp, 2016〔1. Auflage 1987〕, S. 187.〔デートレフ・ポイカート（小野清美／田村栄子／原田一美訳）『ワイマル共和国——古典的近代の危機』（名古屋大学出版局，1993年），159頁。〕
(26) Peukert, *Die Weimarer Republik*, S. 160.〔邦訳，134頁。〕

こうした近代化への伝統主義的の側からの反動的反発であると同時に，急速な近代化のひずみがもたらした不満の攻撃的形態でもあり，さらには近代化そのものの延長でもあるとみなされる。新技術を用い大衆社会に即したメディアである映画とラジオが，保守的な大資本に支配され，戦争賛美の宣伝手段として用いられただけではない(27)。社会工学的に国家が個人の生活を管理するという思想が，優生学と結びつき，「役に立たない」，「教育不可能な」，「扶助事業に値しない」人間を国家が選別する流れを作り出したというのである(28)。政治・社会・文化の全体を通じて存在した「近代化」を論じる議論のなかで，ポイカートが文化面で注目するのは，社会的影響力の限られた前衛芸術よりも，映画，ラジオ，スポーツ，ダンス，キャバレー，近代的フォルムを持った日用品の大量生産といった都市消費文化である。こうした近代の先端を行く生活様式の象徴として「アメリカ」イメージが影響力をふるったことも，ポイカートは強調している。

ポイカートの議論は，近代化過程の脆弱性を論じるというその視角ゆえに，近代の延長としての80年代への批判をも含意していた。国家による国民の身体の規律化に関するポイカートの議論は，マックス・ヴェーバーの「鉄の檻」論に依拠すると同時に，ミシェル・フーコーの影響をうけた同時代の現代社会批判とも呼応している(29)。ポイカート自身もあとがきで，共和国と「われわれ」の社会の共通性を強調する。それゆえポイカートが高く評価するのは，ヴァイマール文化の近代的側面そのものではなく，むしろ（反動とは異なる形の）近代批判である。それはたとえば，「先取りされた『ポスト・モダン的』批判」(30)としての保守革命思潮であり，「何らの前提もなく合理的に形作られた大衆としての人間」(31)に対する，マックス・ヴェーバー，ジークムント・フロイト，トーマス・マン，エルンスト・ユンガーらの批判であった。

80年代は日本においてヴァイマール文化研究が躍進した時代でもあったが，その関心もまた，ヴァイマール文化からナチをへて現代にまで連続する近代の問題に規定されていた。たとえば雑誌『思想』は，81年に「1920年代・現代思想の源流」の題で2号にわたって特集を組み，生松敬三の巻頭論文では，ヴァイマール文化を「われわれと『同時代の』もの」(32)とみなし，そこに「世界的規模での学生叛乱以降明確化するにいたった『近代文明』そのものへの原理的批判，近代的な合理主義・科学主義の批判・克服というモチーフ」(33)があると述べている。

なかでも蔭山はポイカートの著作の前年にすでに，ヴァイマール文化にみられる近代的側面と近代批判の側面の双方に着目していた。市民的主知主義ないし合理主義は，その土台となる「共感の世界」すなわち人文主義的伝統を失い目的合理的な技術主義へと変貌するにつれて，ファシズムの反主知主義的な決断主義に似通ってくる(34)。蔭山はこう指摘し，合理主義と非合理主義が接近した動態的な精神状況を，20年代の都市の文化状況に典型的に見出す(35)。この動態的な心的状況を示すために蔭山が用いるのが，「文化的等価性（kulturelle Gleichberechtigung）」（ベルンハルト・ディーボルト）の概念である。蔭山はヴァイマール期の精神的原状況を，「モーツァルトの音楽とジャズが，流行歌手とマルクスが等価的なものとうけとめられる心的，精神的世界，すなわち，従来異質の精神的秩序に属し（・・・）た諸事象がそれ固有の質を主張しえなくなっている精神世界」ととらえ，それを「等価性の世界」と呼ぶ(36)。そのうえで，アヴァンギャルド，通俗的文化，社会風俗，ナチス的政治運動など，ヴァイマール時代の文化全般にみられる多様な現象を，「等価性の世界」自体を否定するもの，そこに居直るもの，そしてそれをふまえつつ同時にそれを乗り越えようとするものに大別し，第三のもののみを「ヴァイマール文化」とみなしている。蔭山は例としてベンヤミンとエルンスト・ブロッホを挙げるほか，青年保守派を中心とした保守革命思潮の可能性についても批判的に検討している。

このように80年代のヴァイマール文化研究は，前衛芸術とともに都市・大衆・消費文化に焦点をあて，教育・住宅・保健政策等も視野に入れ，それを同時代の先進産業社会の現状と重ねつつ批判的に論じる点に特徴があった。同時に，そのような近代化に内在する問題の乗り越えを目指す動きとして，フランクフルト学派ばかりではなく，60年代まではナチの先駆けとみなされてきたような「退行的文化」の一部に改めて注目が集まった。カール・シュミットの再評価，ハンス・ツェラー，エルンスト・ユンガー，

(27) Peukert, *Die Weimarer Republik*, S. 175.〔邦訳，147頁。〕
(28) Peukert, *Die Weimarer Republik*, S. 148-149.〔邦訳，125頁。〕
(29) Peter Fritzsche, "Did Weimar Fail?", *The Journal of Modern History*, 68 (3), 1996, p. 632.
(30) Peukert, *Die Weimarer Republik*, S. 268.〔邦訳，234頁。〕
(31) Peukert, *Die Weimarer Republik*, S. 181.〔邦訳，153頁。〕
(32) 生松敬三「1920年代と現代」『思想』1981年10月，11頁。
(33) 生松「1920年代と現代」5頁。
(34) 蔭山『ワイマール文化とファシズム』26-27頁。
(35) 蔭山『ワイマール文化とファシズム』123-139頁。
(36) 蔭山『ワイマール文化とファシズム』90頁。

フーゴー・フォン・ホフマンスタールらの保守革命思想の検討，モダニズムの美術・文学における東方神秘主義の影響の解明，トーマス・マン，メラー・ファン・デン・ブルック，エルンスト・ブロッホらにおける「第三の国（Das dritte Reich）」理念受容の解明など，その機運は現在にまで続いているといえるだろう。

4 文化と社会のダイナミズム ──「文化」概念をめぐって

80年代に形成されたヴァイマール像のうち近代的都市文化の側面に対しては，近年しばしば留保が求められるようになった。地方都市や農村部を含めた共和国全体でみれば，新しいメディアや風俗の広がりは限定的であり，ベルリンにおいてさえ一般的とはいえなかったという留保である。たとえば熊野は，あえてベルリンではなく地方都市ヴァイマールをとりあげ，同地の文化が伝統的・保守的勢力に支配されていた様子をあきらかにした(37)。カール・クリスティアン・フューラーは映画とラジオの受容状況を検討し，それがベルリンのサラリーマンにとってさえまだ一般的なメディアではなかったことを強調している(38)。これらの研究は同時に，共和国における前衛文化の影響力も相対化する。フューラーは，劇場で上演された演目の多くがお決まりの古典の繰り返しであったこと，映画作品のほとんどが通俗的な恋愛ものや冒険ものであったこと，ラジオ放送では教養層向けの保守的番組が多くを占めていたことを示している(39)。

熊野とフューラーを含めた近年のヴァイマール文化研究のいくつかで目を惹くのは，共和国の文化政策への着目である。たとえばベアトリス・ボニオはベッカーの教育改革に，フューラーは文化施設への補助事業に，アンソニー・マックエリゴットは検閲と教育政策に注目している(40)。これらの研究は，文化政策をめぐる対立を軸にすることで，政党，宗派，地域などさまざま要素に応じて分かれた共和国内の複数のアクターが，それぞれどのような文化理念を有していたのか，そしてそれがどのように実現され，あるいは実現されなかったのかを明らかにすることに成功している。

ふりかえってみれば，ヴァイマール文化像の変容は，共和国イメージの変容であると同時に，「文化」概念の変容でもあった。60年代のゲイの著作では，「詩人と哲学者」，そして前衛的な絵画，小説，演劇，建築の作家たちが，「文化」の中心的な担い手として想定されていた。それに対していわゆる文化論的転回をへた80年代には，偉大な作家の個別の作品よりも，むしろ大衆の日常生活，余暇，消費活動をも含めた風俗が注目されるようになる。こうしたマスないしポピュラー文化への注目に際して，「文化的等価性」や「宙づり」といった表現で規範的文化の不在が強調されたのも，80年代から90年代の文化学の状況に対応していよう。80年代から90年代に並置された多様な文化現象が，当時どのように社会で交錯していたのか，2000年代の研究は，そのダイナミズムの解明に取り組んでいるとみることもできる。その際に多かれ少なかれ意識されているのは，アライダ・アスマン，ヤン・アスマンらの議論を念頭においた，共通の記憶・感情・意味連関を作り維持する社会的装置としての「文化」の側面といえるかもしれない。国家や政党や市民団体を含むさまざまなアクターが，出版社，映画会社，文化行事，シンボルの掲示（イラスト・旗・歌など），博物館，劇場など様々なメディアを通じて，みずからの願望や感情を公的に表現し，その実現と社会的承認をもとめて対立し協調しあう──そのような場としての「文化」である。

われわれの「文化」概念に対するイメージ自体が，ヴァイマール文化のイメージを一定程度規定してきたのだとすれば，ヴァイマール文化を「歴史化」する方法のひとつとして，当時の文化概念の歴史化，すなわち当時の言語慣習において「文化」という言葉がどのように使用されていたかを検討する作業を挙げることができよう。19世紀以来，ドイツ語圏において「文化（Kultur）」は論争的概念であり続け，第一次大戦時には高度に政治性を帯びた「文明／文化」論争が繰り広げられた。共和国においても，何を「文化」ないし「文化的」とみなすべきかについて，様々な見解が存在した。当時における「文化」という語の多様な使われ方をあきらかにするためには，概念史，社会史，政治史などの既存の分野をまたぐ研究手法が必要となろう。

同時に，ヴァイマール文化のアクチュアリティーについて考えることは，「文化」概念のアクチュアリティーを問い直すことでもある。たとえば「歴史化」を経たヴァイマール文化イメージの全体像において，前衛芸術や前衛思想の存在感はますます相対化される傾向にある。このこと

(37) 熊野「ヴァイマル・モデルネをめぐる相克」。
(38) Karl Christian Führer, "Hight Brow and Low Brow Culture", Anthony McElligott (Hrsg.), *Weimar Germany*, Oxford: Oxford UP, 2009, pp. 260-281.
(39) Führer, "Hight Brow and Low Brow Culture", p. 270, 273, 275.
(40) Béatrice Bonniot, „Die Republik, eine ‚Notlösung'?", Andreas Wirsching/ Jürgen Eder (Hrsg.), *Vernunftrepublikanismus in der Weimarer Republik. Politik, Literatur, Wissenschaft*, Stuttgart: Franz Steiner, 2008, S. 299-310; Führer, "Hight Brow and Low Brow Culture"; Anthony McElligott, *Rethinking the Weimar Republic. Authority and Authoritarianism, 1916-1936*, London: Bloomsbury, 2014, pp. 129-156.

は,「文化」概念そのものにおける「前衛」あるいはさらに「芸術作品」概念の希薄化ともかかわっているように感じられる。文化を一種の社会的装置と捉えるとき，美的領域の社会に対する自律性を前提とする「前衛」の概念は,おのずと背景に退いてしまう。しかしこれは，芸術作品の前衛性が無効化したことを意味しない。社会のどこにも場所をもたないまま実現を待っている「反事実的」なものを示唆し，われわれに「未知の領域に飛び出す，跳躍する瞬間」を示す(41)，あるいは「知られないままであるかもしれない風景をもった，別の世界」への脱出を促す(42)，そうした現実突破への志向性を前衛的と呼ぶならば，その必要性は今日においても減じていない。本稿では詳しくみることができなかったが，冒頭に挙げたような「歴史化」の傾向の一方で，ヴァイマール期の個別の作家や思想家に関する研究は，衰えることなく進展している(43)。作品・作家に焦点をあてる芸術・思想研究の成果と，社会的ミリューや政治文化へと重点を移しつつ進むヴァイマール文化研究における歴史化の傾向を，どのように結びつけることができるのか。今後の課題はこの点にもあるように思える。

(41) 三島憲一「アレクサンダー・クルーゲ――感情の年代記」『ドイツ研究』53号，2019年，64-65頁。
(42) 蔭山宏『崩壊の経験――現代ドイツ政治思想講義』慶應義塾大学出版会，2013年，207頁。
(43) なかでもハンナ・ヘーヒやマリ・ルイーゼ・フライスラーらヴァイマール期の女性作家が示した社会批判の力が評価されたのは90年代以降のことといえよう。香川檀『ハンナ・ヘーヒ――透視のイメージ遊戯』(水声社，2019年)；田丸理砂『「女の子」という運動――ワイマール共和国末期のモダンガール』(春風社，2015年)；香川檀『ダダの性と身体――エルンスト・グロス・ヘーヒ』(ブリュッケ，1998年)。

投稿論文

青年音楽運動と音響メディア

牧野広樹

1 はじめに

青年運動の活動の一部である青年音楽運動は，合唱や，リコーダーを使った合奏という音楽実践を行うことによって，「音楽による共同体」の実現を目指そうとした運動である。この運動は，「民主主義的な」[(1)]とされる青年音楽運動最大のグループである「楽師ギルド（Musikantengilde）」を率いたフリッツ・イェーデ（Fritz Jöde, 1887-1970）と「中産階級・民族主義的な」[(2)]とされるグループである「フィンケンシュタイナー・ブント（Finkensteiner Bund）」を率いたヴァルター・ヘンゼル（Walther Hensel, 1887-1956）が二大潮流を形成した他，社会学者ハンス・フライヤーなど様々な人物がかかわりを持つことになった。

青年音楽運動は，その出自からしてロマン主義的，反近代的性格を持っているとされてきた。例えば上山は，青年運動の源流であるワンダーフォーゲルが扱った歌謡集，『ギター弾きのハンス（Der Zupfgeigenhansl）』について，青年たちはこの歌謡集にある民謡を，「近代文明に腐敗されない真の思考と感情を含んでおり，ワンダーフォーゲルの求める民衆の精神にまさにぴったり適合していると信じた」[(3)]と述べ，ロマン主義的なものへの回帰，反近代という観点からワンダーフォーゲルの始まりを記述している。ラカーもまた，「ドイツ青年運動は，ロマン主義哲学の強い影響力，未来への不安な予感を孕んだ過去の賛美によって形成されていた」[(4)]と，青年運動のロマン主義的特徴を指摘している。

青年運動の源流たるワンダーフォーゲルが反近代とロマン主義への回帰を懐胎しおり，民謡をはじめとする音楽への関心もそのなかに位置づけられるとするならば，そもそも青年音楽運動と音響メディアという組み合わせは折り合いが悪いと言えるかもしれない。実際のところ，青年音楽運動に関連した先行研究において，レコードやラジオ放送などの音響メディアが触れられている箇所は少ない[(5)]。しかし本稿で示すように，青年音楽運動における音響メディアへの関心は高く，1920年代には盛んに議論が行われていた。

そもそもこのような先行研究の素地をつくり，青年音楽運動における技術への眼差しを隠蔽したのは，青年音楽運動に対する否定的評価の嚆矢となったアドルノの論考であろう。アドルノは，1950年代における青年音楽運動の擁護者との論争を発展させた論考，「楽師を批判する」において，反近代的，教養市民層的，過去志向的な性格を持つ

(1) Johannes Hodek, *Musikalisch-pädagogische Bewegung zwischen Demokratie und Faschismus. Zur Konkretisierung der Faschismus-Kritik Th. W. Adornos*, Weinheim/ Basel: Beltz, 1977, S. 27-31.

(2) Ebenda, S. 31-49.

(3) 上山安敏『世紀末ドイツの若者』（三省堂，1986年），110-111頁。

(4) Walter Laqueur, *Young Germany. A History of the German Youth Movement*, New Brunswick/ London: Transaction Books, 1984, p. 6.〔ウォルター・ラカー（西村稔訳）『ドイツ青年運動——ワンダーフォーゲルからナチズムへ』（人文書院，1985年）〕

(5) 青年音楽運動に関する研究は，イェーデを主たる研究対象とし，その教育学・音楽教育学的意義を論じるカール＝ハインツ・ラインファントの編著書や小山，シュッテの研究，そしてそれらに対立し，主に青年音楽運動のヒトラー・ユーゲントへの流入という歴史的帰結からナチズムとの親和性を糾弾するアドルノ，ホーデクの研究，そして民主主義的な端緒とプレファシズム的傾向の内在という中立的な評価を主張するコラントの研究の三つの方向性に分かれる。このなかで音響メディアについて言及しているのはコラントとシュッテのみである。コラントは，「ラジオ放送における開かれた歌唱の時間」について触れ，青年音楽運動における「ラジオ放送と技術メディアの拒絶」と「イェーデのラジオの拒絶とその利用の間にある矛盾」について指摘するにとどまる。またシュッテも，ラジオ放送による「歌唱の時間」と1929年のカール・リンドストレーム社によるレコード集発売について簡単に触れたうえで，ラジオ放送による「歌唱の時間」における共同体の拡大という可能性への批判的視線と疑問を提示するにとどまる。Dorothea Kolland, *Die Jugendmusikbewegung. Gemeinschaftsmusik, Theorie, und Praxis*, Stuttgart: Metzler, 1979, besonders S. 76-77; Karl-Heinz Reinfandt (Hrsg.), *Die Jugendmusikbewegung. Impulse und Wirkungen*, Wolfenbüttel/ Zürich: Möseler, 1987; Rika Schütte, *Das Menschenbild Fritz Jödes und seine Bestrebungen zur außerschulischen Musikvermittlung im Zusammenhang mit der Jugendmusikbewegung*, Norderstedt: GRIN, 2004, besonders S. 94-99; 小山英恵『フリッツ・イェーデの音楽教育——「生」と音楽の結びつくところ』（京都大学学術出版会，2014年）。

ものとして青年音楽運動を規定している。青年音楽運動は「教養市民層の運動の一つ」[6]であり，「もし人間が集まって，音楽することだけが問題であるならば，19世紀の室内楽演奏と，歌唱・演奏サークルとの本質的な違いはほとんどないだろう」[7]とアドルノは述べる。100年前の室内楽演奏との類似性をここでことさらに主張するアドルノは，レコードやラジオの登場という，音楽シーンにおける物質条件の変化を見落としている，あるいは故意に隠蔽しているのである。

音響メディアを排し，「真正な」聴取のかたちを称揚しようとしたのは，青年音楽運動というよりも，むしろアドルノ自身の認識であろう。例えば彼は「ラジオ音楽の社会的批判」において，ラジオは「聴取の退化」[8]を促すとしている。また「ラジオ・シンフォニー――理論における実験」では，「どの程度，ベートーヴェンの交響曲の形式に備わっている構成要素がラジオによって実現されているのか」[9]について検討しているが，それによれば，ラジオによって交響曲の音質や広がりは失われ，「矮小化」[10]，「アトム化」[11]されてしまい，「正しい」聴取には結びつかないのみならず，その感覚を退化させてしまうという。このようなアドルノの音響メディアに対する態度に鑑みると，彼は自身の態度を，青年音楽運動の音響メディアに対する態度へと投影してしまっていると考えられる。

しかしながら，青年音楽運動の反近代性という評価は，あまりにも一面的な理解であるように思われる。なぜなら生改革運動をはじめとする文明批判に関する研究によって，「もう一つの近代」を目指す文明批判としての側面が明らかにされており，青年音楽運動もこの側面を少なからず持っていると考えられるからである。ロークレーマーは，技術に対する文明批判の立場について以下のように述べる。

> 文明批判は全面的に技術に対立したのではなく，誤ったとみなされる仕方での使用に対立したのである。目的は，別の，よりよい近代を実現させるために，自身の理想的な社会像と技術とを融和させることであった[12]。

フリッツェンもまた，生改革運動に反近代化という説明モデルを当てはめることについて，「この反近代化というテーゼは，（・・・）多くの観点において正しい」[13]と述べつつも，その運動を「反近代」という側面から一面化する方向性には警鐘を鳴らしている。

本稿で見るように，青年音楽運動もまた，彼らの自己意識に鑑みる限りにおいて，技術を一辺倒に拒絶したのではなく，避けられない近代化のなかに別の「近代」のあり方を模索しようとし――この試みは破綻するほかないのだが――[14]，その実現に向けて動いたのだと考えられる。そもそもレコードやラジオ放送などの音響メディアなしには，より多くの人々を共同の音楽実践へと動員したり，共同体の射程を拡大させたりしようという構想は浮かばなかっただろう。この観点から見ると，青年音楽運動に，19世紀の室内楽演奏とは異なる可能性が賭けられていたことは明らかである。この意味において，100年前の室内楽演奏の性格との類似性を指摘するアドルノの評価は，歴史的変遷や状況の変化を蔑ろにしていると言えるだろう。

このような立場に立ったうえで，本稿では，青年音楽運動における技術に関する言説，特にラジオ放送とレコードに関する言説を調査し，青年音楽運動内におけるレコードに対する評価の変遷及びラジオ放送に対する態度の変化，そしてそれらの帰着する1950年代の技術論について明らかにする。この観点から青年音楽運動を検討したうえで，最終的には青年音楽運動の歴史的評価の問題にも踏み込んで考察を試みることとする。

（6）Theodor W. Adorno, „Kritik des Musikanten“, Rolf Tiedemann (Hrsg.), *Theodor W. Adorno Gesammelte Schriften in 20 Bänden*, Bd. 14, Frankfurt a. M.: Suhrkamp, 2003, S. 67.〔Th. W. アドルノ（三光長治／高辻知義訳）『不協和音』（平凡社，1998年）〕

（7）Ebenda, S. 69.

（8）Theodor W. Adorno, “A Social Critique of Radio Music”, *The Kenyon Review*, Vol. 7, No. 2, 1945, p. 213.

（9）Theodor W. Adorno, “The Radio Symphony. An Experiment in Theory”, Paul F. Lazarsfeld/ Frank N. Stanton (ed.), *Radio Research 1941*, New York: Arno Press, 1979, p. 117.

（10）ibid., p. 126.

（11）ibid., p. 127.

（12）Thomas Rohkrämer, *Eine andere Moderne? Zivilisationskritik, Natur und Technik in Deutschland 1880-1933*, Paderborn: Ferdinand Schöningh, 1999, S. 32.

（13）Florentine Fritzen, *Gesünder Leben. Die Lebensreformbewegung im 20. Jahrhundert*, Stuttgart: Franz Steiner, 2006, S. 31.

（14）竹中によれば，生改革運動における「近代」に対する肯定的姿勢と批判的姿勢の同居は，イデオロギーとしての「モダニズム」と近代化の成果としての「モダニティ」の便宜的区別のうえ，イデオロギーを排しつつ近代化の成果を取り入れるという態度として理解されるが，この二つは本来不可分であるがゆえに，生改革運動の近代批判は一種の安直さに堕しているという。この点に近代批判のアポリアがあると言えよう。竹中亨『帰依する世紀末――ドイツ近代の原理主義者群像』（ミネルヴァ書房，2004年），227-233頁。

2 レコードについての評価とその変遷

2.1 否定的評価から有効な活用法の模索へ

1920年代初頭には，青年音楽運動内ではレコードに対して否定的な評価が下されていた。例えばフリッツ・イェーデ(15)は，以下のように述べている。

技術とはつまり，グラモフォンのスピーカーに目を凝らそうが，ヴィルトゥオーゾがそこに準備されていることに驚き，そのパッセージに舌鼓を打とうが，交響曲の外面を追って，印刷された音楽案内書から頭を上げなかろうが，少しの違いはあれども，それは何の意味もないものである。というのもその本質は何といっても，技術に対する驚きを満足させることだからである。他者の行いは人間を変えない(16)。

ここでは，グラモフォンをはじめとする技術全般に対するイェーデの否定的評価が明らかにされている。イェーデはここで，レコードの聴取は完成された音楽を怠惰にむさぼるのみで，自身で音楽を演奏するというかたちの音楽実践へと結びつくことがないと，アメリカの作曲家，ジョン・フィリップ・スーザの「機械音楽の危機」の論調(17)にも似た態度を表明している。そもそも1920年代初頭までは，青年音楽運動内でのレコードに関する議論も進んでおらず，グラモフォンを通して聴く音楽の低俗さが批判されるのみであった(18)。

しかし1928年ごろには，イェーデはレコードの技術革新に対する楽観的な展望とともに，その使用に肯定的な評価を下している。

音楽史にも，理論的研究にも，民俗学・楽器研究にも，レコードの投入による最も大きな利益が見込まれる。直接聴くことができず，ピアノによる抜粋で代替していたすべてのものを，レコードはより一段と完璧な仕方で再生するだろう(19)。

ここでは，音楽史，音楽理論，そして民俗学や楽器研究において，レコードの使用に利点があることが主張されている。このようなイェーデの態度の変化をコラントは矛盾と捉えているが(20)，この変化は矛盾というよりも，むしろ音響機器の技術改良とその普及という時代背景の変化に基づくものであると考えられる。

イェーデは，1928年に「5年ほど前，まだ技術が発展途上であった時に，音盤レコードに関して経験したことから，今日それを拒否しようとするのは完全に間違っている」(21)と述べ，「機器の技術改良はさらに進むに違いないので，音盤レコードに期待される使い方もまた，真にその技術改良によって成し遂げられるに違いない」(22)と技術改良について肯定的な立場を明らかにしている。1924年の電気録音導入によって目に見えて音質が向上し，録音可能音域の漸次的拡大によって，レコード音楽の「再生音には『膨らみ』とか『厚み』とか『本物らしさ』がもたらされた」(23)。機械録音での録音可能音域が300～3000 Hzであったのに対し，電気録音の導入された1924年には50～6000 Hzに，そして1929年には30～8000 Hzに向上している(24)。イェーデの態度の変化の背景にはこの技術革新による音響機器の改良と，それに伴う音質の向上があると考えられる。また，このような音響メディアが普及し，一般によく知られるようになったことも，評価を変化させた一因であると考えられる。1877年にエジソンによる円筒型フォノグラフが完成してから10年後の1887年，ベルリナーが円盤型レコードを用いたグラモフォンを発明する。

---

(15) フリッツ・イェーデは，ヴァルター・ヘンゼルの創設した「フィンケンシュタイナー・ブント」と双璧をなす「楽師ギルド」を創設した人物である。双方のグループは度々対立していたようで，「楽師ギルド」を率いた指導者のひとりであるフリッツ・ロイシュ(Fritz Reusch, 1896–1970)は，1925年に参加したヘンゼルの歌唱週間を「デモーニッシュな」，「病的に熱狂的な」，「感傷的な」と批判し，「音楽観においてわれわれとひどく対立する」と述べている。Fritz Reusch, „Rundschreiben über die Singwoche von Walther Hensel“, 1926, unveröffentlichtes Manuskript, Archiv der deutschen Jugendbewegung (AdJb), A. 228. 01. 05. 青年音楽運動において研究対象として扱われるのは専らイェーデであり，多くはその音楽教育における現代的アクチュアリティが論じられている。Reinfandt (Hrsg.), *Die Jugendmusikbewegung*; Schütte, *Das Menschenbild Fritz Jödes*; 小山『フリッツ・イェーデの音楽教育』。

(16) Fritz Jöde, *Musikmanifest*, Hartenstein: Greifen, 1921, S. 14.

(17) スーザは，レコードの席巻とともにアマチュアの音楽演奏がなくなり，楽器や声楽を教える教師たちもいなくなると述べ，アマチュアによる音楽実践の消失を危惧している。John Philip Sousa, “The Menace of Mechanical Music”, *Appleton's Magazine*, Vol. 8, 1906, pp. 278-284.

(18) W. Ockelmann, „Zukunftsmusik“, *Pädagogische Reform*, 43. Jg., 1919.

(19) Fritz Jöde, „Die Schallplatte im Musikunterricht“, Fritz Jöde (Hrsg.), *Musik in der Volksschule. Eine Einleitung*, Berlin: Comenius, 1928, S. 70.

(20) Kolland, *Die Jugendmusikbewegung*, S. 100-101.

(21) Jöde, „Die Schallplatte im Musikunterricht“, S. 68.

(22) Ebenda.

(23) 谷口文和／中川克志／福田裕大『音響メディア史』(ナカニシヤ出版，2015年)，111頁。

(24) 谷口／中川／福田『音響メディア史』，111頁。

円筒型の複製が高コストであるのに対し，原盤をゴム合成物にプレスすることによって同じレコードを低コストで大量生産することが可能な円盤型レコードは，20世紀に入ると一般大衆へと普及することとなる(25)。特に，レコードの売上高が最大となるのが1927年から1929年にかけてであることに鑑みると(26)，イェーデが1928年にレコードに対する評価の見直しを行っていることも偶然ではないだろう。

1921年からイェーデとともに活動したヒルマー・ヘックナー（Hilmar Höckner, 1891–1968）(27)は，グラモフォンやラジオという音響メディアを新聞と対比させつつ，「何がわれわれの時代を埋め尽くしているのかを読む人に知らせてくれる新聞が今日放逐できないのと同じく，われわれはこれらの獲得物を長く教育施設から放逐することはできない」(28)と述べ，このような画期的なメディアの普及の排斥を試みるのではなく，それに目を向け，どう向き合っていくかが重要であると主張している。ヘックナーは，音響メディアの普及が進む中で，それを一義的に拒否するのではなく，どう取り入れ活用しつつ時代の変化に適応していくのかという方向に態度を変化させていったのである。

2.2 レコードの活用法

それではレコードは，この評価の転換にあたってどのような活用が見込まれたのだろうか。

第一にレコードは，様々な音楽に触れるための「補助教材」(29)，「観察材料」(30)として，主に教育現場での使用が見込まれることになる。イェーデはレコードの利点について，以下のように述べている。

> 例えばレコードは，歌や楽器の音の感じや，そのレコードがなければ知りえない古楽，最新の音楽，そして異国の音楽を思い出させてくれる。レコードやピアノの抜粋演奏が，そもそも学校ではもしかしたらその音の響き方を知ることができないかもしれないような，モーツァルトの弦楽四重奏，ベートーヴェンのコンサート用序曲，古い教会音楽や世俗音楽のより明確なイメージを与えてくれることは，まったく疑いようもない。それに加えて，適切なレコードの使用は，非常に小さな町や村においては，比較しながら批評を行う機会が特に欠けているので，自身の能力の意義ある向上につながるかもしれない(31)。

ここでは様々な時代，ジャンル，そして国の音楽に至るまで，音楽演奏に触れる機会を与えてくれる教材としてレコードの意義が示されている。また特に，小さな村や町など，直接にコンサートホールで演奏に触れることのできない子どもたちにも，学校教育のなかで均等にその機会を与えることのできる教材として，レコードの活用法が提示されている。つまりレコードは，従来聞かせることのできなかった音楽を，その音色や響き方に至るまで，至るところで再現してくれるメディアなのである。上記に見る音響メディアの利用法は今日ではもはや一般的となっているが，音響機器の改良と共に，教育の場において，レコードが教材としての位置づけを獲得するようになっていったことが，ここから明らかになる。

また，授業でレコードを使用する利点として挙げられたのが，その中断や繰り返しの機能である(32)。レコードによって可能になる中断や繰り返しは，後述するように，何度も聴くことによって音楽作品の構造理解を深めるために役立つと考えられたのである。

以上を踏まえたうえで，実際にレコードを音楽聴取の鍛錬に役立てようとした例について見ていきたい。ヘックナーは，レコードを「『鳴り響く』スコア」(33)と捉え，譜面によってではなく，実際に音楽を聴かせながら楽曲の構

(25) 谷口／中川／福田『音響メディア史』，21–179頁。

(26) シュルツ＝ケーンは，蓄音機やレコードを製造する企業の売上高や資本の変化に関する数字を取り上げつつ，この時期の売上高の上昇を，戦争とインフレーションの後の音楽への渇望と，それに支えられた購買力に帰している。Dietrich Schulz-Köhn, *Die Schallplatte auf dem Weltmarkt*, Berlin: Reher, 1940, S. 109.

(27) ヘックナーのイェーデとの付き合いは，1918年，イェーデの編集する『リュート（Laute）』への寄稿依頼とともに始まっている。1921年，イェーデとの直接の対面をきっかけに青年音楽運動に深くかかわることになった。イェーデと並ぶ青年音楽運動の先駆者であり，主に器楽演奏に着目していた。Hilmar Häckner, „Jahre der Freundschaft“, Reinhold Stapelberg（Hrsg.）, *Fritz Jöde. Leben und Werk*, Trossigen: Hohner, 1957, S. 38-46; S. ヘルムス／ R. シュナイダー／ R. ウェーバー編（川口道朗監修）『最新音楽教育事典』（大空社，1999年），401頁。

(28) Hilmar Höckner, „Die Schallplatte im D. L. E. H（Deutschen Landerziehungsheim）“, 1929, unveröffentlichtes Manuskript, AdJb, A. 228. 08. 63, S. 4.

(29) Frieda Löbenstein, „Die Schallplatte gibt Musikunterricht“, 1929, unveröffentlichtes Manuskript, AdJb, A. 228. 35. 55, S. 43.

(30) Jöde, „Die Schallplatte im Musikunterricht“, S. 67.

(31) Ebenda.

(32) Löbenstein, „Die Schallplatte gibt Musikunterricht“, S. 44.

(33) Hilmar Höckner, „Haydns Andante ‚mit dem Paukenschlag‘. Disposition einer Unterrichtsarbeit mit Verwendung der Schallplatte“, 1930, unveröffentlichtes Manuskript, AdJb, A. 228. 08. 63, S. 1.

造分析について授業を行おうと試みている(34)。

ヘックナーは，レコードでハイドンの交響曲《驚愕》を，一時停止で細かく区切りながら繰り返し聞かせ，テーマやその変奏の同定，楽器の種類の判別など，楽曲の進行と変化の様子を議論し，最後に楽曲全体の構造の流れを確認したうえで楽曲全体を再生するという授業の流れを具体的に示している(35)。またマーセンは，同じ作曲家の異なる作品や，異なる作曲家の似た作品などを対比させながら鑑賞を行うこと，そしてまた一度聞いただけでは理解の難しい箇所を何度も鑑賞することが，レコードによって可能になると述べている(36)。人間による演奏では不可能な「疲れ知らず（Unermüdlichkeit）」(37)で「いつでも演奏できる（ständige Bereitschaft）」(38)という利点によるアクセシビリティの向上によって，レコードは「正しい積極的な聴取の教育に最も良い補助手段」(39)になりうると，マーセンは主張している。このように，鑑賞によって様々な時代，ジャンル，国の音楽を聞き知るのみならず，楽曲の構造理解や音楽聴取の鍛錬など，より専門的な活用法も実際に行われていたことを見て取ることができる。

また，そのほかにも，様々な活用法が提案されている。まず，音楽の世界を広げ，さらなる音楽的興味を喚起させるものとしても，レコードの意義が提示されている(40)。ここでは，一人の学生が買ったレコードがその学生グループ全体で聴かれ，最終的に彼らは自身の興味の範囲を広げていくことができるという例が挙げられている(41)。つまり，レコードというメディアを通して，より簡単に音楽が共有できるようになったことで，自身の興味関心に限らない音楽への関心を持つことができるようになったということであろう。これはインターネット上で容易に音楽を共有できるようになった今日の時代の先駆けとも言える位置に，レコードが位置づけられていることを示す例であると言えるだろう。また，人間のパートナーがいない場合，合奏や合唱の音楽練習の際の代用として，レコードを活用することが推奨されてもいる(42)。

3 ラジオ放送についての評価とその変遷

3.1 ラジオ放送の可能性と限界

当初ラジオ放送に対してもまた，レコードと同じように否定的な評価というよりも，むしろ全面的な拒否という態度がとられていた。

ヴァルター・ヘンゼルとともに音楽活動に参加していたハインリヒ・エッピンガー（Heinrich Eppinger, 1897–1980）(43)は，「なんにせよ，間違った感覚からの解放は，音楽の種類によってというよりも，どうやって音楽を仲介するかによって達せられるように思う」(44)と述べたうえで，どのようなジャンルの音楽を放送するかというよりも，そもそもの音楽実践の方法，どのようにして音楽と関わるかが重要であると主張し，音楽をラジオ放送という形で媒介することに疑義を呈している。青年音楽運動が目指すのは，メディアを通して音楽を享受することではなく，人間と人間が対面で向き合い，相互に行為することによってなされる音楽実践であると，エッピンガーは強調している。

閉鎖的な小共同体を称揚したヘンゼル一派に対し(45)，ラジオ放送の可能性に最初に目をつけたのはイェーデ一派であった。ゲッティンゲンで1928年5月7日から9日に

(34) Ebenda.
(35) Ebenda, S. 3-11.
(36) Willy Maassen, *Schallplatte und Schule*, o. J., unveröffentlichtes Manuskript, AdJb, A. 228. 03. 02, S. 34-35. 正確な著作年は不明だが，「2. 現代の音盤技術の基盤」という章に，1927年から1931年に発売された「トリ・エルゴン・レコード」の記述があるため，この年間に書かれた原稿だと推測できる。
(37) Ebenda, S. 35.
(38) Ebenda.
(39) Ebenda.
(40) Höckner, „Die Schallplatte im D. L. E. H", S. 6.
(41) Ebenda, S. 2-3.
(42) R. B. (Richard Baum?), „Grammophon als Partner", *Collegium Musicum. Blätter zur Pflege der Haus- und Kammermusik*, Heft 2, 1933, S. 34-35.
(43) ハインリヒ・エッピンガーは，1919年からヴァルター・ヘンゼルの音楽活動に参加している。ヘンゼルが「フィンケンシュタイナー・ブント」を立ち上げた後は，その機関紙『ジンクゲマインデ（Singgemeinde）』の最初の編集長を務めている。Art. „Heinrich Eppinger", Archiv der Jugendmusikbewegung e. V. Hamburg (Hrsg.), *Die deutsche Jugendmusikbewegung in Dokumenten ihrer Zeit von den Anfängen bis 1933*, Wolfenbüttel/ Zürich: Möseler, 1980, S. 1009.
(44) Heino Eppinger (Heinrich Eppinger), „Für und wider den Rundfunk (1925)", Archiv der Jugendmusikbewegung (Hrsg.), *Die deutsche Jugendmusikbewegung*, S. 504.
(45) ヘンゼルは，「『フォルク』という語のもとで理解されるのは，同一の人種に属し，同一の言語を話し，ほぼ同じ習俗と慣習に従って生きる人間全員の総体である」と述べたうえで，国際化した大都市を批判し，閉鎖的な小共同体を理想化している。Dr. Julius Janiczek (Walther Hensel), „Was ist das Volkslied? (1923)", Archiv der Jugendmusikbewegung (Hrsg.), *Die deutsche Jugendmusikbewegung*, S. 199-203.

行われた中央教育研究所（Institut für Erziehung und Unterricht）によるラジオ放送会議についてのイェーデのレポートは，そのことを如実に表していると言えるだろう。

毎月のように新たな可能性の前に立たされるところでは，すべてがとても早く変わっていく。しかし，われわれがラジオ放送の問題に対して駝鳥政策（問題を故意に無視すること——筆者）から目を背け，とにかく何が起こっているのか目を向けるのには，いい機会だと認めてもよいかもしれない(46)。

ここでは，青年音楽運動が長く目を背け，全面的な拒否を示してきたラジオ放送の問題に，初めて目が向けられている。イェーデはラジオという音響メディアを盲目的に拒否するのではなく，その活用の是非について真剣に議論するよう促しているのである。このラジオ放送についての評価の見直しは，イェーデ主導による1928年2月6日のラジオ放送での「開かれた歌唱の時間」の実施前後から，少しずつ進んでいたといってよいだろう。

1930年には，ヘンゼル一派に属するリヒャルト・バウム（Richard Baum, 1902–2000）なども，イェーデによる「開かれた歌唱の時間」のラジオ放送という活用法には疑義を呈しつつも，ラジオという音響メディアそのものに対しては中立的な姿勢を示すようになる。彼は，ドイツのラジオ聴取者数は300万人を超し，ドイツ人の20パーセントがラジオを聴いているという新聞の一報を引き合いに出したうえで(47)，以下のように述べている。

ラジオ放送や新聞雑誌，あるいはそのほか現代が獲得したものは，それ自体良いものでも悪いものでないこと，むしろ私たちの使い方によって良くも悪くもなるということは明らかである。そうであれば，独善的にラジオ放送とその発展に背を向けるのは，本末転倒で近視眼的というほかない。むしろわれわれが学ばねばならないのは，その影響力を判別し，それがここで開く可能性を有意義に使うことである——それを使う，というのは，それに囚われるということではない。その際，決して歌唱運動の本来の意味を損なうことになってはならない(48)。

ここでバウムは，ラジオという音響メディアそのものは肯定も否定もせず，中立的姿勢を貫いている。バウムが重要視するのはその活用法であり，青年音楽運動の活動における本来の意味を損なわない限りで，その有用性を認めている。ただしこの意味で，イェーデのラジオ放送による「開かれた歌唱の時間」の意義は疑問視されている(49)。コラントは，バウムの論に言及しつつ，青年音楽運動はラジオ放送を拒絶したと指摘しているが(50)，バウムが否定したのはラジオという音響メディアそのものではなく，イェーデによるその活用法であったことがここから明らかになるだろう。現にバウムは，病人や地方に住み孤立した人，辺境のドイツ人に限って，ラジオ放送の使用を有意義であると認めている(51)。この一定の前提条件におけるラジオ放送の認可は，共同体から疎外されやすい者をその範疇に組み入れることを目的としている(52)。この意味で，イェーデと活用法は違えども，両者の目的は，ラジオ放送を介した「音楽による共同体」の射程の拡大にあったと考えることができるだろう。

3.2 ラジオ放送による「開かれた歌唱の時間」

「開かれた歌唱の時間」とは，1926年から定期的に開かれた「異なる年齢，信仰，職業，教養段階，そして経済的・政治的態度の人々」(53)による合唱の試みである。この「開かれた歌唱の時間」は，1928年2月6日(54)からは，ラ

(46) Fritz Jöde, „Ertrag der ersten Rundfunktagung des Zentralinstituts für Erziehung und Unterricht“, *Die Musikantengilde. Blätter der Wegbereitung für Jugend und Volk*, 6. Jg., Heft 5, 1928, S. 119.
(47) Richard Baum, „Der Rundfunk als Lebensmacht“, *Die Singgemeinde*, 6. Jg., Heft 4, 1930, S. 111.
(48) Ebenda, S. 117.
(49) バウムは，「開かれた歌唱の時間」について，「もっともラジオ放送の聴取者が自身で音楽の営みへと参加し，音楽することのうちにある素敵で豊かな喜びを取り戻すことができるかどうかは，非常にうたがわしいものであるのだが」と述べている。なお，バウムは登山のアナロジーを用いつつ，自分の足で登らない者が登山の本当の喜びを得ることはできないのと同じく，音楽も自身で実践しない限りその喜びに達することはできないと述べているが，この登山のアナロジーは『ニューヨーク・イヴニング・ポスト』の音楽批評家ヘンリー・フィンクの記事におけるアナロジーを借用したものだと思われる。しかしフィンクは対照的に，この登山のアナロジーを用いつつ，レコードを登山鉄道という技術と類比させ，技術の発達によって多くの人々がそのすばらしさを感じることができるとして肯定的に捉えている。Ebenda; R. ジェラット（石坂範一郎訳）『レコードの歴史——エディソンからビートルズまで』（音楽之友社，1981年），118–119頁。
(50) Kolland, *Die Jugendmusikbewegung*, S. 75.
(51) Baum, „Der Rundfunk als Lebensmacht“, S. 115.
(52) Ebenda, S. 113-114.
(53) Fritz Jöde, „Die Singstunde. Eine Einführung zu unserer gleichnamigen Notenbeilage (1931)“, Archiv der Jugendmusikbewegung (Hrsg.), *Die deutsche Jugendmusikbewegung*, S. 478-479.
(54) イェーデが1933年に書いた史料には書き間違いあるいは記憶間違いで1927年と記述されているが，実際は1928年2月6日月曜日

ジオ放送を介してより広い射程を持つ試みとして実践されるようになる。

そもそもなぜ「開かれた歌唱の時間」の射程をラジオ放送によって拡大させせようとする試みが行われたのだろうか。それには1920年代前半にかけて青年音楽運動の地位を確立させてきたイェーデが，その実践の意義を社会的・政治的領域へと拡げようとしたことと関係していると思われる。1927年に出版された『民族への音楽奉仕（Musikdienst am Volk）』における「イェーデ周辺の活動団体の覚書」には，以下のような一節がある。

> あらゆる活発な政治が課題としているのは，統治できない幾百もの個々人を，扱いやすい統一性，民族へと融合させることである。この目標が，意志と理性によっても，また組織化によっても達成できないということを，革命以来の歴史がとりわけ明確に示している。結合のための力を備えていた経済と学問は，今日では，社会観・世界観を持つグループにおける分裂の原因である。それらのグループは，争いながら絶えず隔絶し続けている。そのため，いずれの国家指導部も，今日以前に増して，真の結合を可能にする人間を超えた力を探し求めている(55)。

このように国家の政治的課題に触れたうえで，音楽こそがこの課題に応えうるものであると主張されている。

> 様々なジャンルのなかでも，音楽は共同体を形成する最も大きな力をその内に秘めている。音楽は，他のどの芸術ジャンルよりも，集団形成を，熱心で熱狂した共同作業を呼びかける(56)。

ここでは，音楽実践を介した共同体形成を，青年音楽運動内だけでなく社会的要請へと接続させることによって，自身の活動により大きな社会的意義を付与しようとする意識が明確化されている。この頃を機に，イェーデの活動の目的は音楽実践を契機として人々のコミュニケーションを促進することを目指すというあり方から，音楽実践を介したドイツ民族の統一というあり方へと転換していくことになる(57)。時代の要請に従い，様々な教育事業によって，音楽実践による共同体形成の試みを「民族（Volk）」へと拡大することを意図した，この『民族への音楽奉仕』が，1927年に出版されていることに鑑みると，民族共同体（Volksgemeinschaft）の形成という時代要請のために，ラジオ放送という技術が青年音楽運動に取り入れられたように思われる。コラントやシュッテはこの点について，この共同体概念の齟齬と青年音楽運動の理念からの逸脱を指摘しているが(58)，以上の点から見ると，このラジオの使用は，彼らの元来の意図から矛盾や齟齬をきたしていたというよりも，彼らのパースペクティヴが運動内からドイツ民族全体というより広い範囲へと移行するとともに，その意図を実現させるために使われるようになったとみてよいだろう。実際，イェーデはラジオ放送による「開かれた歌唱の時間」のために結成された「12人の音楽家サークル」についての記事で，「音楽と人々（Volk）との間の隔たり」(59)を再三再四指摘したうえで，「この状況，この現象，この判断から，その一部に対してわれわれの時代の音楽の再興を始めようとする時に，北欧ラジオ放送局（Norag）が登場する」(60)と述べている。

このラジオ放送による「開かれた歌唱の時間」のプログラムは，音楽を聴くことではなく，ラジオ放送にのせられた音楽を聴取者が共に歌うことを目的としており，①一般向けの歌唱の時間，②子供部屋・幼稚園向けの歌唱の時間，③低地ドイツ語の歌のための特別な歌唱の時間の三つの番組プログラムが企画されていた(61)。このラジオ放送

に行われている。コラントがこのラジオ放送による「開かれた歌唱の時間」の開始年を1927年と記述しているのは，イェーデによる間違った年月日が書かれた史料に依拠しているためと思われる。Fritz Jöde, „Volksliedsingen im Rundfunk“, *Der Kreis*, 11. Jg. Heft 3, 1933; „Zweite Rundfunk-Singstunde“, 1928, unveröffentlichtes Manuskript, AdJb, A. 228. 35. 55.; Kolland, *Die Jugendmusikbewegung. Gemeinschaftsmusik, Theorie, und Praxis*, S. 76.

(55) „Denkschrift des Arbeitskreises um Fritz Jöde. Über seine Bemühungen um eine lebendige Musikkultur im deutschen Volke“, Fritz Reusch (Hrsg.), *Musikdienst am Volk. Ein Querschnitt in Dokumenten*, Wolfenbüttel/ Berlin: Georg Kallmeyer, 1927, S. 11.

(56) Ebenda.

(57) イェーデの著作に見られる「共在（Beieinander）」と「統一性（Einheit）」という語に着目した1920年代の彼の音楽観における共同性のあり方についての変遷は以下を参照のこと。牧野広樹「フリッツ・イェーデの音楽観における共同性——共同の音楽実践とその目的設定をめぐって」『音楽表現学』Vol. 15（2017年），1−18頁。

(58) Kolland, *Die Jugendmusikbewegung*, S. 75-78; Schütte, *Das Menschenbild Fritz Jödes*, S. 100-101.

(59) Fritz Jöde, „Kreis der 12 Musiker“, 1929, unveröffentlichtes Manuskript, AdJb, A 228. 35. 55.

(60) Ebenda.

(61) „Volks und Jugendmusikpflege in der Norag. Ein Entwurf. Der Direktion der Norag eingereicht“, o. J., unveröffentlichtes Manuskript, AdJb, A. 228. 35. 32, S. 3-4. この番組プログラムのために，「12人の音楽家サークル」の他に，少年少女による合唱団が結成されている。Fritz Jöde, „Volks- und Jugendmusikpflege durch den Rundfunk“, *Die Musikantengilde. Blätter der Wegbereitung für Jugend und Volk*, 7. Jg., Heft 1, 1929, S. 22.

の演奏者は，あくまでも「最初に歌いかける者（Ansinger）」[62]，「音頭を取る者（Vorsinger）」[63]であり，主役は常にラジオの前にいる「聴取者＝演奏者」であるとイェーデは述べている。また，「楽師ギルド」の中心的人物として活動していたヘルベルト・ユスト（Herbert Just, 1898-1975）[64]は，この試みを「見えない相手との音楽演奏（Musizieren mit unsichtbaren Partnern）」と名づけ，「いつも一人で演奏して楽しくないから」[65]，「ラジオのなかの芸術家以外は下手に思われるから」[66]，演奏する気のおきないというアマチュア音楽家に，歌唱・演奏サークルで仲間と演奏しているような気になってもらうための試みとして位置づけている。

年齢，信仰，職業，階級という境界を越えた「音楽による共同体」の実現を目指すという「開かれた歌唱の時間」の意義は，1933年6月，ナチ体制成立後の逼迫した時代状況のなかで特に政治的に先鋭化された意味を持つこととなる。

> そこに存在し，活動しているわれわれ民族（Volk）が，歌の歌い方を再び理解するよう，歌いながら自身の進むべき道を進むことを，そして歌のために口を開くことを再び学ぶように願っている。同胞と罵ったり，争ったり不幸を起こしたりするために口を開くのではなく。われわれの口は，日常生活の中で，十分に長く，そして頻繁に，些細で不快で悪感情をもたらす内容のために開かれてきた。その口が歌を学ぶためにより多く開かれること，そしてその鳴り響く内奥から，再び美しく鳴り響く生が花咲かせるようになることを願っている。これが，われわれが求めるものであり，われわれが活動する理由である。そしてわれわれは，人々と共に歌うために，ありとあらゆる機会を探究する。願わくば，この最初の北ドイツラジオ放送の歌唱週間が，われわれ民族の間に自身の歌を再び目覚めさせる助けとならんことを！[67]

ここでは1933年6月時点の時代状況において，イェーデがラジオ放送による「開かれた歌唱の時間」に付した意義が強調されている。それはつまり，争い，罵倒するために口を開くのではなく，共に歌うために口を開くべきであるという要請を，ラジオ放送を通して伝えることにあったのである。

ここにこそまさに，主義主張の曖昧さや矛盾，ナチ体制への協力の是非などが問われるイェーデの一貫した，そして同時にナイーブな姿勢が現れ出ていると言えるだろう。この理念にこだわればこそ，イェーデは矛盾した態度を取り，時にナチ体制への協力まで辞さずとも，これを貫徹しようとしたのではないかと考えることができる。ラインファントは，イェーデの音楽理念における様々な齟齬を認めつつ，根本的なところにおいてその態度は一致していたと主張している[68]。それは，小山もまた述べるように，「常に善意から発するものを求める」[69]音楽であり，ナチズムの理念からかけ離れたところにある，人間全体を共同体としてつなげていく音楽の理念であったという。ラインファントは，フランツケのイェーデに対する評価を引用しつつ，イェーデは「第一に音楽家ではなく，また音楽教育家でもなく，音楽ついての教育者でもなく，『人間教育家，（・・・）人間を育て上げる者であり，彼にとって音楽は最終目標でなく，人間教育の端緒と手段であった』」[70]と，幾分かイェーデを擁護する論調を取っている。しかしその「人間を教育する者」としてのイェーデが，皮肉にも，人間を大量虐殺するシステムを結果的に整えることになったナチ体制に携わってしまったこと[71]については，議論の余地はないだろう。したがってあくまでも歴史的な評価を

(62) Jöde, „Volksliedsingen im Rundfunk", S. 50.
(63) Ebenda.
(64) 1925年にイェーデと出会って以来，青年音楽運動において活動を共にし，1928年には「楽師ギルド」事務局の中心を担うこととなる。Art. „Herbert Just", Archiv der Jugendmusikbewegung (Hrsg.), *Die deutsche Jugendmusikbewegung*, S. 1015; Franz Riemer, „Wege zur Jugendmusikbewegung nach individuellen Mustern", Mechthild von Schoenbeck (Hrsg.), *Vom Umgang des Faches Musikpädagogik mit seiner Geschichte*, Essen: Die Blaue Eule, 2001, S. 153-164.
(65) Herbert Just, „Musizieren mit unsichtbaren Partnern", *Collegium Musicum. Blätter zur Pflege der Haus- und Kammermusik*, Heft 2, 1933, S. 33.
(66) Ebenda.
(67) Jöde, „Volksliedsingen im Rundfunk", S. 51.
(68) Karl-Heinz Reinfandt, „Fritz Jödes Schaffen zwischen Idee und Wirklichkeit", Reinfandt (Hrsg.), *Die Jugendmusikbewegung*, S. 282-285.
(69) 小山『フリッツ・イェーデの音楽教育』，14頁。
(70) Reinfandt, „Fritz Jödes Schaffen zwischen Idee und Wirklichkeit", S. 293.
(71) ナチ体制への移行についてはリーマーがヴォルフガング・シュトゥンメに依拠しつつ言及している。それによれば，ナチ体制成立後の1933年初頭に，ラングヴィッツで，ナチ体制成立後の青年音楽運動の方針に関して，イェーデを中心とする会議が開かれたという。その会議では，最終的に体制内での活動の継続を図るという方針が，イェーデによって提案された。Franz Riemer, „Fritz Jöde und der Hohe Meißner", Jürgen Reulecke (Hrsg.), *50 Jahre danach-50 Jahre davor. Der Meißnertag 1963 und seine Folgen*, Göttingen: V&R unipress, 2014, S. 167.

下さねばならないとすれば，イェーデがどれほど理想的な社会像――言わば「音楽に国境はない」という俗諺にも似たトランスナショナルな社会像――を抱こうとも，それがナチ体制へと回収されてしまった時点において，その理念は破綻をきたしたのだというべきだろう。

4 1950年代の技術論

青年音楽運動は，ナチ体制下ではヒトラー・ユーゲントに吸収されてしまったが，戦後1950年代からは再び盛んに活動するようになる。ここでは1950年代の青年音楽運動内の技術社会に対する態度について検討していくこととする。

イェーデは，1950年代，『ギター弾きのハンスの歌』というレコード集の発売に際して，技術社会に対する認識を明らかにしている。

> 技術的なメディアがわれわれのもとにやってきた。われわれが音楽のために口を開いたり，手を動かしたりする必要なしに，あらゆる種類の音楽財をわれわれに浴びせかけるような技術的なメディアが。われわれにはどうしてもなしで済ますことのできないメディアが。しかしわれわれは一つだけそのメディアに許してはならないことがある。そのメディアが，その対価として私たちの歌う口を取り去り，それとともに貴重なわれわれの歌の財産を奪い去ることである。今この状況に至ってわれわれに残されているのは，そのメディア自身を，そしてその歌を，その財産のために使うように，われわれの前にその財産を提示することで，それを実現させるように努める方向へと向けさせること以外にない(72)。

ここでは，技術の蔓延した時代状況に対する諦念が綴られると同時に，それを逆説的に，音楽実践の活発化へと向かわせるような利用へと向けさせることにせめてもの希望を託そうという，このレコード集の発売趣旨が述べられている。ここから，技術社会に対して全面的な拒否を試みるわけではなく，技術を諦念とともに容認しつつ音楽活動の活発化を目指すという姿勢を見て取ることができるだろう。一方で，ラジオ放送による「開かれた歌唱の時間」に見るような，技術を取り入れた音楽実践によって社会へとコミットしていこうという積極的態度は見られない。

1926年からイェーデと活動を共にしているヴィルヘルム・ツヴィッテンホフ（Wilhelm Twittenhoff, 1904–1969）もまた，イェーデと似た態度を取っている。

> あれかこれかという思考は，現実に対する眼差しを失わせる。この現実は光と同時に陰であり，祝福と同時に呪いでもあるのだ――人間が技術と共に何をするかを心得ているか次第なのだ(73)。

ツヴィッテンホフは，当時を「われわれ皆にとって誰も逃れることのできない征服力の現実」(74)を持つ技術の時代と認識し，その時代においては，「技術対芸術」という構図がもはや成り立たないと考えている。そうであれば，どう技術と向き合うかを考える以外に道はないと，彼はここで主張しているのである。しかし一方で，技術によって埋め尽くされた時代にもなお，芸術の意義は残っていると，ツヴィッテンホフは述べている。

> あらゆる物質志向がどれだけ必要不可欠でなくてはならないものであろうと，その志向が，人間を関連づける「付き合い（Umgang）」，人間によって形づくられる「付き合い」を窒息させ，分離させることはできないし，そうなった結果，人間の行く末が決まるということにはならない。幸運なことに，現代の人間自身は，この物質志向にのみ限られているわけではない。特に子供や若者は今日でもなお，物，動物，人間，そして自然，言語，芸術と共に生きている――人間がいつの時代もそうしてきたように。その中でわれわれは彼らを支援し，人間を初めて人間にする，その経験の側面への入り口を，彼らに開かせねばならない(75)。

ここでツヴィッテンホフは，芸術の生き延びるわずかな間隙に希望を求めている。技術社会においてもなお，生身の人間同士の交流は不可欠であり，その交流の契機となる営為こそ，芸術にほかならないと彼は主張しているのである。

イェーデとツヴィッテンホフは，技術社会に対抗するという方策はもはや有効ではなくなっていることを的確に認識している。それと同時に，諦観を含んだいくぶん保守的な彼らの態度からは，1920年代とはまたニュアンスの違った姿勢を読み取ることができる。すなわち，現実にコミッ

(72) Fritz Jöde, „Singt mit aus dem Zupfgeigenhansl“, o. J., unveröffentlichtes Manuskript, AdJb, A 228. 35. 33, S. 2.
(73) Wilhelm Zwittenhoff, „Hat das Musische im Zeitalter der Technik noch Raum?“, 1955, unveröffentlichtes Manuskript, AdJb, A. 228. 31. 30.
(74) Ebenda.
(75) Wilhelm Zwittenhoff, „Musische Bildung und Industriewelt. Vortrag zur Eröffnung der Musischen Bildungsstätte Remscheid, am 20. 9. 1958“, unveröffentlichtes Manuskript, AdJb, A. 228. 31. 30, S. 8.

トする積極的な姿勢というよりも，現実から逃避する遁世的な態度であり，その逃避先として芸術の場を確保し，その場所において活動を継続しようという態度である。

5 おわりに

最後に，青年音楽運動におけるレコードとラジオに対する評価とその変遷をまとめたうえで，青年音楽運動の歴史的評価に関する問題について，再検討を試みることとする。

レコードは，1928年前後から再評価の動きが高まっている。その背景として，技術改良による音響機器の改善，そしてレコードそのものの普及などが考えられる。そしてその活用法は，教育現場での使用が中心であったが，合奏や合唱の機会が持てない際の練習用パートナーとしての使用も提唱されていたことが明らかになった。ラジオ放送は，1928年2月6日に行われたラジオ放送による「開かれた歌唱の時間」を機に，評価の見直しが進むこととなる。この転換には，青年音楽運動が運動内からより広い視野へとその成果を広げていこうとする意図の転換ともかかわっている。

総じて，音響メディアに対する青年音楽運動の評価は，時代や活動家ごとに一様ではないが，技術革新と共に1928年頃からその取り入れと見直しが進められていたことが，本稿で明らかになった。1933年以降，先に述べたように青年音楽運動はヒトラー・ユーゲントへと吸収されてしまう。ここにおいて，一定のまとまりを持った運動としての青年音楽運動は，一端解消されたとみるのが妥当だろう[76]。こうして青年音楽運動に関わった指導者の多くは，ナチの文化機関にポストを得ることになる[77]。イェーデもまた教会・学校音楽のための国立アカデミーの教授職を続投したが，1935年に罷免されてからは活動の中心を海外へと移すようになる[78]。シュミットが，「政権掌握後のイェーデの国民社会主義に対する関係という観点を考えると，その統一的な像がないことが判明する」[79]と述べるように，青年音楽運動に関わった個々の活動家の国民社会主義との関係における評価は難しい問題である。この問題は重要ではあるが，本稿の趣旨からずれるため，別稿に譲りたい。

ただ本稿の観点から，ナチズムとの関連について示唆できるのは，青年音楽運動が音響メディア，特にラジオの取り入れを行った時点で，その運動の性質に重大な変質をきたしていたということである。すなわち，議論する人民（Volk）のための音楽実践の場から，同調する群衆（Volk）のためのメディア空間的音楽実践の場への変容である。

1919年，音楽教育活動を始めた頃のイェーデにとって，音楽実践の場とは，そこに居合わせた人が音楽を契機として議論を弾ませることを目的とするものであった。

> 単刀直入にここで何が音楽と呼ばれているのかという問いに，私は再び立ち帰らねばならない。（・・・）確かに私は，音の連なりを後でぴーぴーと歌うために，それを頭にとどめておくよう要求しようとしない。それは私にとっては性に合わないことなのだろう。それよりも私が重要だと思うのは，それが心地いいものであれ心地よくないものであれ，好ましいものであれ好ましくないものであれ，それについて後で議論することができるように，本当に生き生きと保っておくことなのである[80]。

イェーデはこのように述べたうえで，生徒たちの議論のもとにリズムや拍子，メロディーを決め，音楽を形成していくという自身の授業の試みを描写している[81]。この意味で，少なくともイェーデの初期の試みは，討議による合意形成を主眼とした一種の公共圏をなす試みであったと言えるだろう。しかし本稿で見てきたように，ラジオ放送の導入と共に，相互のコミュニケーションは不可能となり，この公共圏は崩壊している。ラジオ放送による「開かれた歌唱の時間」は，名目上はラジオの前の聴取者が演奏に参加する主体性を謳うのであるが，実際のところ彼らがラジオの向こう側にいる演奏者とコミュニケーションを取ることはできず，絶えずその「見えない相手」に同調するほかない。この公共圏の崩壊に代わって現れるのは，佐藤のいう参加の感覚と感性を重視した「ファシスト的公共性」[82]に近いものであると言えるだろう。佐藤はこの「ファシスト的公共性」について，以下のように述べている。

---

(76) Schütte, *Das Menschenbild Fritz Jödes*, S. 16-17.
(77) Dorothea Kolland, „Jugendmusikbewegung", Diethart Krebs/ Jürgen Reulecke (Hrsg.), *Handbuch der deutschen Reformbewegungen 1880-1933*, Wuppertal: Hammer, 1998, S. 392.
(78) Rainer Schmitt, „Von der Politik eines Unpolitischen. Nachträge zum „Fall Jöde" in den Jahren 1927-1945", Mechthild von Schoenbeck (Hrsg.), *Vom Umgang des Faches Musikpädagogik mit seiner Geschichte*, Essen: Die Blaue Eule, 2001, S, 141-152.
(79) Ebenda, S. 147.
(80) Fritz Jöde, *Musik und Erziehung. Ein pädagogischer Versuch und eine Reihe Lebensbilder aus der Schule*, Wolfenbüttel: Julius Zwißler, 1919, S. 118.
(81) Ebenda, S. 86-91.
(82) 佐藤卓己『ファシスト的公共性――総力戦体制のメディア学』（岩波書店，2018年），4頁。

理性的対話による合意という市民的公共性を建て前とする議会制民主主義のみが民主主義ではない。ヒトラー支持者には彼らなりの民主主義があったのである。ナチ党の街頭行進や集会，ラジオや国民投票は大衆に政治的公共圏への参加の感覚を与えた。この感覚こそがそのときどきの民主主義理解であった。何を決めたかよりも決定プロセスに参加したと感じる度合いがこの民主主義にとっては決定的に重要であった。（・・・）ヒトラーは大衆に「黙れ」といったのではなく「叫べ」といったのである。（・・・）こうした政治参加の儀礼と空間を「ファシスト的公共性」と呼ぶとしよう。民主主義の題目はファシズムの歯止めとはならないばかりか，非国民（外国人）に不寛容なファシスト的公共性にも適合する(83)。

この一節に則って述べるなら，イェーデもまた，ラジオ放送にのせて「歌え」と言うことによって共同体の射程を拡大すると共に，ラジオ放送の聴取者に主体的な参加の感覚を与えつつ，理性的な討議ではなく，感性に訴えることによって，市民的公共性がなす民主主義とは別の形の「民主主義」を形成しようとしたという意味において，「民主的」であったと考えることができる。ラジオ放送の使用というこの試みはまさに，本稿で見た1927年前後における転換，つまり「音楽による共同体」を，民族共同体へと拡大させていくという意図とうまく合致するものでもあった。ここにおいて，青年音楽運動が音響メディアを取り入れることによって持つことになったナチズムとの親和性，少なくともその素地の一つを示唆することができる。そしてまさにそうであるがゆえにこそ，青年音楽運動のヒトラー・ユーゲントへの吸収はスムーズに進んだのである(84)。

ナチ体制へのコミットとその失敗からか，1950年代に復興した青年音楽運動の技術論は，現実社会とは距離を取った遁世的・消極的態度へとシフトしていく。しかしながら，本稿に見たツヴィッテンホフに見る生身の人間同士の「交流（Umgang）」を重視する態度は，ある意味では青年音楽運動の原点に立ち戻った態度であるとも言えるだろう。

以上のように，青年音楽運動と音響メディアの関係に着目することで，青年音楽運動そのものにおける性格の変化と，ナチズムとの関連も含めた歴史的評価について，歴史的変遷に基づいて明らかにすることができるのである。

＊本研究はJSPS科研費JP17J07157の助成を受けたものである。

(83) 佐藤『ファシスト的公共性』，4頁。
(84) Kolland, „Jugendmusikbewegung“, S. 392.

トーマス・マンにおける国家・有機体アナロジー

小野二葉

はじめに

『ドイツ共和国について』（以下，『共和国』と略記）(1922)，長編『魔の山』(1924) などのトーマス・マンの著作においては「有機的なものとの共感 (Sympathie mit dem Organischen)」が重要なモチーフとなっている。このモチーフは，先行研究ではしばしばマンの20年代の「転向」，すなわち『共和国』において最も顕著にみられる民主主義支持との関連において考察されてきた。多くの研究は『共和国』においてフマニテート (Humanität) と民主主義とが同一視されていることを受けて(1)，マンにおける「有機体」概念と「フマニテート（民主主義）」概念とを同一視する理解の下，ナショナリズムに距離を置き始めたマンの立場を考察している。ヘルベルト・レーネルトとエーファ・ヴェッセルは，マンが『非政治的人間の考察』(1918年刊。以下，『考察』と略記）において論難を加えた理性主義的フマニテートのイデオロギーとは違う，ゲーテに由来する有機的な，創造的なフマニテートの考えに至ったことを跡付けている(2)。友田和秀は，マンが個人的なものと社会的なものとの有機的関係，すなわちフマニテートの概念を発展させていく過程を，講演『告白と教育』(1922年3月）を中心に考察し，「転向」の要因をラーテナウ殺害に対するマンの拒否反応に見る従来の定説を修正している(3)。速水淑子は，マンは有機体と共同体に並行的な構造を見いだすことで，共同体内部の個人性と各々の成員の社会意識とを両立させる道としてのワイマール共和国を支持するに至ったと解釈している(4)。

上記の研究はいずれも，マン自身の『共和国』における表現にならって，有機体と国家ないし共同体に類似的な構造を見ることを前提としている。他方，国家・有機体アナロジーはネーションステート成立期をへて，ドイツにおいて特異な発展をしたことが知られてもいる。国家を有機体にたとえる発想はプラトンにまでさかのぼるが(5)，19世紀に近代国家形成・進化論・細胞説が時を同じくして起こって以降，ドイツでは生物学とネーションが結びついた独特の有機体論，国家論が発展することになった。そこにはまた，民主主義ではなく君主制のもとで国家統一がなされたということが大きく影響している。第一次世界大戦の敗戦を経て，ドイツにおける有機的国家観はさらに反民主主義的色合いを強めることになり，こうした流れが直結的・間接的背景となって，「有機的 (organisch)」という語はやがてナチス用語としても使用されるようになった(6)。

本論文では，国家を有機体になぞらえる考え方を以下「国家・有機体論」とする。本論の目的は，1) マンにおけ

(1) Thomas Mann, „Von Deutscher Republik“ (1923), Mann, *Von Deutscher Republik, Gesammelte Werke in Einzelbänden*, hrsg. v. Peter de Mendelssohn, S. Fischer, 1984, S. 125.

(2) Herbert Lehnert/ Eva Wessel, *Nihilismus der Menschenfreundlichkeit. Thomas Manns „Wandlung“ und sein Essay „Goethe und Tolstoi“*, Vittorio Klostermann, 1991, S. 98. ただし後述するように，レーネルトらはマンにおける「有機体」が1921年頃まで保守的な意味で使用されていたことを指摘している。

(3) 友田和秀『トーマス・マンと1920年代──『魔の山』とその周辺』（人文書院，2004年），134-154頁。ただし友田は，マンは保守的思想を放棄したのではなく，民主主義擁護のためむしろそれを積極的に利用しようとしたという側面も指摘している（友田『トーマス・マンと1920年代』，118-119頁）。

(4) 速水淑子『トーマス・マンの政治思想──失われた市民を求めて』（創文社，2015年），118頁。とはいえ，速水も，マンが『共和国』において「共和国なき王はなく，王なき共和国はない」とさえ述べていること，実際にはマンはさまざまな機会に「彼の考える理想のデモクラシーを，人民による統治というよりは啓蒙された独裁として描き出している」ことを指摘し，マンにおけるデモクラシー概念は，政治体制としてのデモクラシーではけっしてなかったと留保している（速水『トーマス・マンの政治思想』，118-119頁，217頁）。

(5) Joachim Ritter u. a. (Hrsg.), *Historisches Wörterbuch der Philosophie*, Bd. 6, Schwabe, 1984, S. 1338-1339.

(6) 一例をあげるなら，アルフレート・ローゼンベルクの『二十世紀の神話』では，民族固有の「有機的な真理 (die organische Wahrheit)」が神秘化されながら称揚されている（ヴィクトール・クレムペラー〔羽田洋ほか訳〕『第三帝国の言語〈LTI〉──ある言語学者のノート』〔法政大学出版局，1974年〕，144-145頁）。

る「有機体」概念を，ドイツの国家・有機体論の歴史の中に位置づけること，2）こうした歴史的観点から見て，マンの「有機体」が「フマニテート」とどの程度同一視しうるのか再検証すること，である。マンは，当時反民主主義的色合いを帯びていた「有機体」という比喩を，あえて共和国に当てはめた。このことの意味はしかし，『共和国』だけでなく，その前後の時期の著作をも考察の対象とし，マンの思想発展と時代とのかかわりを考えることで初めて明らかになるだろう。

1 ネーションと有機体論

生物学における国家・有機体アナロジーは，ドイツにおいては細胞説とダーウィンの進化論がその端緒となった。細胞説の提唱者として知られるルドルフ・ウィルヒョウは，1848年の革命で指導的役割を果たし，自由主義左派の政治家としても活動した[(7)]。ウィルヒョウは，自由主義的な「細胞共和国（Zellenrepublik）」を，社会的不平等を解決する理想の国家として夢見た[(8)]。細胞によって構成される動植物の個体内では，細胞という個々の存在は互いに依存しあうが「それ自体として独自の働きをもち，たとえその働きが他の要素に由来する刺激に触発されるときも，なおかつその固有の機能は自発のものとして発揮される」とウィルヒョウは述べている[(9)]。また，進化論に関して言えば，ドイツにおけるダーウィニズム（Darwinismus）は，その反カトリック的革新的世界観ゆえに，1870年代の文化闘争の過程で「良心の自由，言論の自由，自由貿易を保証する国民国家への期待と結びついていた」[(10)]。細胞説においても，ダーウィニズムにおいても，当初の国家・有機体論はきわめて自由主義的・反権威的傾向を持っていたのである。

しかし，民主共和制ではなく君主制の下で統一国家としての体制が整って行く中で，「結合力のある統一された社会という理念を推進する」有機体論的教養も，ネーションにおける自由よりも統一の理念とより強固に結びつくようになった[(11)]。ドイツにおけるダーウィンの紹介者であり，ダーウィニズムの普及者でもあるエルンスト・ヘッケルは，イタリアのリソルジメントに強い印象を受け，ドイツ統一を熱望していた一人であり，師であるウィルヒョウの急進主義的な熱情を1860年代まで共有していた。しかし，プロイセンのヘゲモニー下でのドイツ統一が議論される中で，ヘッケルはしだいにビスマルクを称賛するようになっていく[(12)]。階層的な社会こそ進歩的だと信じるに至ったヘッケルは，「義務への自然な敬虔さの基礎を提供し，分業と，個人の社会全体に対する従属を教える」こと，すなわち彼の言うところの，細胞学に基づく教育が，「高等な有機体」であるドイツ帝国に不可欠であると主張した[(13)]。つまり彼は，細胞にたとえられる個々人の，有機体にたとえられる社会全体（ドイツ帝国）に対する従属を教える，権威主義的な国家・有機体論を唱えたのである。ヘッケルは，様々な有機体を各種の国家形態と比較する中で，（中枢神経を持たないゆえに各器官の役割が階層的ではない）樹木を「細胞共和国」と呼んで，これを脊椎動物という「細胞君主国」よりも「下等」な形態と見なした[(14)]。ウィルヒョウと同じく，細胞がある程度までの個々の自立性を有することを認めながらも，それよりも「集権化された全体の掟に多かれ少なかれ支配されている」ことに重きを置いていたのである[(15)]。同じく有機体全体の中での細胞の協働を言うにしても，ウィルヒョウは個の自由を，ヘッケルは全体の支配を，より強調している。

オーストリア出身の公法学者ハンス・ケルゼンの国家・有機体論批判を引き合いに出して，石田雄一が指摘しているように，19世紀から20世紀初めにかけてのドイツ生物学における国家・有機体アナロジーは，実体としての自然界の有機体を客観的に分析するという自然科学本来の態度を超えて，きわめて主観的な，倫理的・政治的価値づけへと傾いていた[(16)]。生物学のこうした社会への進出に呼応するように，社会学者・政治学者たちも生物学を根拠にした国家・有機体論を唱え始める。社会学は，19世紀になって確立された比較的新しい学問分野であり，「社会学」と

（7）アーウィン・H・アッカークネヒト（舘野之男ほか訳）『19世紀の巨人――医師・政治家・人類学者ウィルヒョウの生涯』（サイエンス社，1984年），17-18頁，207-208頁。
（8）Ritter u. a. (Hrsg.), *Historisches Wörterbuch der Philosophie*, Band 6, S. 1342；石田雄一「『有機体としての国家』――もう一つの『超人』の夢」香田芳樹編著『〈新しい人間〉の設計図――ドイツ文学・哲学から読む』（青灯社，2015年），215頁。
（9）ルドルフ・ウィルヒョウ（梶田昭訳）「生理・病理学的組織説に基づく細胞病理学」伊藤俊太郎ほか編『科学の名著』第2期第2巻（朝日出版社，1988年），22頁。
（10）ポール・ワインドリング（坂野徹訳）「ヘッケルとダーウィニスムス」『現代思想』21巻2号（1993年），155頁。
（11）ワインドリング「ヘッケルとダーウィニスムス」，155頁，162頁。
（12）ワインドリング「ヘッケルとダーウィニスムス」，161-162頁。
（13）ワインドリング「ヘッケルとダーウィニスムス」，162頁。
（14）石田「有機体としての国家」，217-219頁。
（15）石田「有機体としての国家」，216頁。
（16）石田「有機体としての国家」，190頁。

いう名称を始めて用いたオーギュスト・コントも，「社会」を一種の「有機体」と見なし，生物学的アプローチを範としていた[17]。石田は「生物学者が『細胞は市民で，有機体は国家である』と主張すると，それを根拠に社会学者は『市民は細胞で，国家は有機体である』と主張する。それによって循環論法の輪が閉じる」と端的に述べている[18]。

さらに，20世紀初めのドイツにおいて，生物学に依拠した社会学は有機的な「共同体」を求める論と結びつき，きわめて政治的な色合いを帯びるに至る。人びとが他の人びととの結びつきや強固な連帯としての「共同体」を渇望するようになった背景には，近代化の中でそれまで自明とされてきた共同体が崩壊し，都市化や工業化によって人間性が疎外されたと感じられたことなどさまざまな要因があるが，ドイツの場合決定的だったのはやはり，第一次世界大戦の敗戦だっただろう。共和制がヴェルサイユ体制によって導入されたと考え，これを受け入れられない保守的な論者は，フェルディナント・テニエスの言う「ゲマインシャフトとゲゼルシャフト」概念を引き合いに，機械的な制度にすぎない共和制国家ではなく，統率・服従関係によって国民が隅々まで結束した有機的な共同体こそドイツにふさわしいと主張した[19]。彼らの論理においては，国家に対する服従は国民の抑圧を意図していない。神聖ローマ帝国，ビスマルク帝国に続く「第三帝国」を待望するアルトゥール・メラー・ファン・デン・ブルックも，「プロイセン主義」を掲げるオスヴァルト・シュペングラーも，民衆的な運動によって国の権威が支えられるという意味で，実は単なる権威主義ではなく，部分と全体の弁証法を主張している[20]。一人一人の国民が自発的に国家に奉仕することによって，個人を単なる歯車と見なすような機械的「ゲゼルシャフト」と区別された，一人一人の意志と協力によって支えられる「ゲマインシャフト」が成立すると考えたのである[21]。

ウィルヒョウとヘッケルの例に見たように，国家・有機体アナロジーにおいては部分と全体の協働が常に主張されていた。こうした部分と全体の関係は，実際の生物の構造の説明としては何ら違和感をもたらさないが，国家論に援用されたとたんに二律背反に陥る。部分の自由を強調すれば共和制と，全体の優位を強調すれば君主制ないし統率された共同体と，その時々の文脈に応じて恣意的に結びつけられうるからである。英国などとは異なり，ドイツでは20世紀に入ってなお国家・有機体アナロジーが盛んであったことが指摘されているが[22]，部分の自由と全体への服従という二律背反を「自発的服従」という弁証法へと推し進めた有機体論の展開は，デモクラシーに反する形でネーションが語られたドイツ独特の事情と表裏一体であったということができる。

2 『考察』から1921年「ゲーテとトルストイ」——修辞的人文主義に抗して

以上に述べたような文脈の中で，マンはどのような位置を占めていたのだろうか。1914年，第一次世界大戦開戦は，ドイツの多くの知識人に熱狂的に迎えられた。彼らは大戦を協商国の啓蒙主義（文明）に対するドイツ精神（文化）の闘いととらえ，「1789年の理念」に対抗する「1914年の理念」を声高に叫んだ[23]。マンもその熱狂を共有しており，第一次世界大戦中に執筆された『考察』は，きわめて錯綜してはいるものの，基本的に，主知的で啓蒙的な「文明」と「政治（デモクラシー）」に反対し，有機的で保守的な「文化」と「非政治性」を擁護する立場に立っている[24]。「政治」という章の中でマンは，「自由，義務，再び自由，これがドイツである」「ドイツには独特の個人主義がある」と述べ，ドイツの個人主義は自由意志によって義務を遂行し，再び自由を得る個人主義であり，「西欧」（協商国を指す）のリベラルな個人主義と国家の原理が相いれないのとは異なり，ドイツの個人主義と国家の原理は一致する，と主張する[25]。マンは，協商国側の国家体制を単なる機械的な「組織」と呼ぶ一方で，こうしたドイツに

(17) 石田「有機体としての国家」，220頁。
(18) 石田「有機体としての国家」，221頁。
(19) Ferdinand Tönnies, *Gemeinschaft und Gesellschaft. Grundbegriffe der reinen Soziologie*（1887）, 6. und 7. Aufl., Karl Curtius, 1926, S. 3-4. なお，この時期に共和国がしばしば「機械」のアナロジーにおいて語られた理由としては，与党社会民主党を含む既存の社会主義陣営がマルクス主義的な機械的唯物論に基づいていたこと（速水『トーマス・マンの政治思想』，163頁），保守派が「西洋の物質主義的文明」に対抗するものとしてドイツを考えたこと（ヨースト・ヘルマント〔識名章喜訳〕『理想郷としての第三帝国——ドイツ・ユートピア思想と大衆文化』〔柏書房，2002年〕，89頁）などが考えられる。
(20) Arthur Moeller van den Bruck, *Das dritte Reich*, Der Ring, 1923; オスヴァルト・シュペングラー（桑原秀光訳）「プロイセン主義と社会主義」『シュペングラー政治論集』（不知火書房，1992年）。
(21) ワイマール共和国における保守派の有機的共同体論に関しては，拙著「『正しい』共同体？——トーマス・マン『魔の山』のアンビヴァレンツ」『ドイツ文学』152号（2016年），122–137頁，を参照されたい。
(22) Ritter u. a. (Hrsg.), *Historisches Wörterbuch der Philosophie*, Band 6, S. 1343.
(23) 速水『トーマス・マンの政治思想』，68頁。
(24) 速水『トーマス・マンの政治思想』，71頁。
(25) Thomas Mann, *Betrachtungen eines Unpolitischen*（1918）, *Gesammelte Werke in Einzelbänden*, hrsg. v. Peter de Mendelssohn, S. Fischer,

おける個人と国家の調和的関係を「有機体」と呼ぶ。「『組織』――精神に富んだ言葉だ！『有機体』――真に生命の言葉だ！ というのも，有機体は部分の総体以上のものであり，そしてこの『以上のもの』こそ精神であり，生命なのだから」としたうえで，マンは「組織化」を「国家による個人の奴隷化」と表現する(26)。マンのこの論法は，民主共和制を国民の機械化にたとえ，それに代わる有機的な国家体制を支持する中で個に対する全体の優位を主張する点で，後の反共和国保守派の論と共通している。

自由と義務の弁証法を語るマンは，高潔な身振りと美しい言葉でデモクラシーと革命を賛美する「文明の文士」（兄ハインリヒ・マンが想定されている）が掲げる「自由・平等・博愛」の理念に対しても論難を加える。自由と平等は「当然互いに排除しあうもの」であり，友愛（Brüderlichkeit）も，善意ではなく平等という単なる政治的理念に基づいているのであれば，「なんら倫理的な価値を持たない」(27)。全体が優位に置かれる「有機体」の倫理は，このような「人道主義的（humanitär）デモクラシー」(28)の修辞的性格の対極に措定されていると言える(29)。

1921年9月の講演「ゲーテとトルストイ」においてもなお，「有機的なもの」と「修辞的・人文主義的なもの」とは対置されている。講演の末尾近くでマンは，ルネサンスに始まってフランス革命によって頂点に達した地中海的・古典的・人文主義的伝統は永遠のものなのか，それとも市民的でリベラルな時代の附属物に過ぎず，その時代とともに滅んでしまうのかという問いを立て，このように続ける。「西欧の人文主義的リベラリズム（der humanistische Liberalismus des Westens），政治的に言うならデモクラシーは，私たちのところで多くの地歩を占めています。けれども全ドイツを手中に収めているわけではありません」(30)。マンは当時話題になっていた「ローマかモスクワか」というアンチテーゼを援用して「ローマでもなく，モスクワでもなく，ドイツ」と呼びかける(31)。そのドイツは，「文化としての，巨匠の作品としての，ドイツの音楽の実現としてのドイツ」であり，「おのおのの声が技巧をこらした自由において，互いに，そして崇高なる全体に，奉仕する」，「多層的な民族有機体（Volksorganismus）」であると述べられる(32)。多くの研究が指摘しているように，マンは『共和国』によって唐突にワイマール共和国を支持したのではなく，徐々に民主主義擁護へと至ったのであるが(33)，1921年のこの記述には依然として保守的な色合いが強い。「人道的（humanitär）」と「人文主義的（humanistisch）」という語はもちろん同義ではないが，1921年の講演において「人文主義的リベラリズム」が修辞的でデモクラティックな理念として，「ドイツ的な」有機体に乗り超えられることが期待されており，そしてその有機体においては依然として，全体に対する奉仕が理想化されている点は，『考察』の延長上にあると言える。

3 「告白と教育」から『共和国』――有機体とフマニテートの融合

それでは，『共和国』において「有機体」と「フマニテート」がともに肯定的に語られるに至るまでには，どのような曲折があったのだろうか。そもそも，『共和国』の中で言われている「有機体」は，以前のそれと同じなのだ

1983, S. 279-280.
(26) Ebenda, S. 280.
(27) Ebenda, S. 438.
(28) Thomas Mann, „Das Problem der deutsch-französischen Beziehungen“（1922）, Mann, *Von Deutscher Republik*, S. 187.
(29) 英仏由来の「人道主義」ないし修辞的人文主義対ドイツ保守的な「有機体」という構図は，当時の知識人に広くあてはまるものだったようである。「文明の文士」ハインリヒ・マンのみならず，ワイマール共和国の左派知識人たちは，民主主義とあわせて「フマニテート」や平和主義を唱道した。アルフレート・デーブリンは第一次世界大戦後に左派の間で「フマニテートが流行（Humanitätswellen）」したと述べている（Vgl. Dieter Mayer, *Linksbürgerliches Denken. Untersuchungen zur Kunsttheorie, Gesellschaftsauffassung und Kulturpolitik in der Weimarer Republik 1919-1924*, Wilhelm Fink, 1981, S. 42）。
(30) Thomas Mann, „Goethe und Tolstoi“, *Deutsche Rundschau*, Bd. 190, März 1922, S. 245-246.
(31) アルフォンス・パケ『ラインとドーナウ』にあるこのアンチテーゼは，エルンスト・ローベルト・クルツィウスらにも波紋を投げかけたという（友田『トーマス・マンと1920年代』，95頁）。なお，「西」と「東」の「真ん中」としてのドイツ像は，マンの「共和国」や「フマニテート」との関連でしばしば言及される（友田『トーマス・マンと1920年代』，119頁，141頁；速水『トーマス・マンの政治思想』，117頁）。
(32) Thomas Mann, „Goethe und Tolstoi“, *Deutsche Rundschau*, S. 246.
(33) マンの日記が公開された1975年以降，「転向」か「継続」かという二者択一的な議論は減り，変化と継続性のどちらをも認めつつ，思想の変化の細部を分析する傾向が強まった。その中で，たとえば速水は，マンを情熱からではなく諦念から共和国を不可避の運命として支持した「理性の共和主義者」とみなす見解とは異なり，マンが「共和国ないしデモクラシーのエートス」を作り出すことに力を注ぐに至った内的発展を跡付けている（速水『トーマス・マンの政治思想』，91-92頁）。ゼバスティアン・ハンゼンは，1919年2月には，マンは多数派社会民主党（MSPD）を後押しする発言をしており，この時点で実質的には現実の政体としてのワイマール共和国の側に立っていたと見なしている（Sebastian Hansen, *Betrachtungen eines Politischen. Thomas Mann und die Politik 1914-1933*, Wellem, 2013, S. 78-79）。

ろうか。また，「フマニテート」と「人道主義」あるいは「人文主義」とは同じものなのだろうか。

これらの概念の機微を知る手掛かりを与えてくれるのは，1922年3月1日，フランクフルトのゲーテ週間に行われた講演『告白と教育』である。マンはここで，ゲーテはルソーから「自伝的な要素」（告白）と「教育的な要素」（教育）を学んだ，と述べるが，この二つはルソーにおいては「人間的に結びあわされて」おらず，ゲーテにおいてはじめて「有機的に」関連付けられたと語る(34)。同じように，マンによれば『社会契約』の著者ルソーにおいては「政治の要素」もまた「告白ならびに教育の要素」と結びあわされておらず，これらの要素が「有機的に統一され」，告白という個人の領域から「人間的なものの疑いなく最高の段階である国家」へと至るには，『ヴィルヘルム・マイスターの遍歴時代』を俟たなければならない(35)。マンは「有機的なものの理念」と「教養の理念」を同一視したうえで，「ゲーテの領域においては，自伝的・告白的なもの，教育的なものだけではなく，政治的なものもまた教養理念によって取り入れられているのであり，まさにその点において，かつそのことによって，それがフマニテートの領域であることが実証されているのです」と述べる(36)。友田はこの講演に，いわゆる「転向」へと至る重要な過程を見ているのだが，「フマニテート」が「人道主義」とは異なることに注意を促している。「人道主義的（humanitär）」という語はルソーに与えられ，「人間的（human）」であるゲーテと対置させられているからである(37)。友田に付け加えるなら，『社会契約』の著者ルソーにおいて国家と個人の領域は有機的につながっていない，とする考えもまた，『考察』における「非有機的な民主共和制」の否定的なイメージを保持していると言える。

しかしそれでも，この講演におけるゲーテ像において，「自伝的・告白的なもの，教育的なものだけではなく，政治的なものもまた」，「フマニテート」の下に有機的に包摂されるという点は，マンの思想的発展において重要な変化である。マンは1922年3月24日の手紙では「個人的なものと社会的なもの，貴族的なものとデモクラシー的なものとがもはや必然的に対立しあうということはなく，一方がもう一方から有機的に育っていく」「フマニテート」の世界について書いている(38)。これらの記述から，『共和国』における，「フマニテート」と同一視される「デモクラシー」もまた，このころ胚胎したと考えられる。この「デモクラシー」は「人道主義的デモクラシー」ではありえず「マンがゲーテを介して見出した〈政治〉同様『有機的なものの理念』によって導き出される，『ドイツ的教養』に組み込まれうるような〈デモクラシー〉，ひとことでいうならドイツ的な〈デモクラシー〉を意味する」(39)。

このようにして，『共和国』においてマンは，フマニテートを媒介として，「ドイツ」と「民主主義」という組み合わせを「有機的に正しい組み合わせ」と述べるに至った(40)。この講演において，ドイツ文化と共和国とを結びつけるため，マンはロマン主義の代表的作家ノヴァーリスを，共和主義者として描き出す。ノヴァーリスは，国家を「マクロアントロポス」（大きな人間）にたとえたことでも有名であるが(41)，マンもそれを念頭に，「哲学は組織（System）や国家を通じて，個人の力を人類と宇宙の力によって強化し，全体を個人の器官に，個人を全体の器官にするが――生に関してはポエジーが同じ役割を演じる。個人は全体のうちに生き，全体は個人のうちに生きる」というノヴァーリスの言葉を「民主主義的熱狂」と表現する(42)。ここでは「有機的」という形容詞は使われていないが，個人が全体の器官であるという表現はまさしく国家・有機体アナロジーである。ただしここでは，個人が全体の器官であるだけでなく，全体もまた個人のためにあるという「個人主義的な」側面が強調されている。マンは，アメリカの詩人ウォルト・ホイットマンにもノヴァーリス同様「有機的なものへの共感」(43)を見いだしているのだが，ホイットマンの「連合の統一を要求するのと同じように，個々の人間の独立をもまた促進する」ような，「共同体の理念を最も深いところで性格づける」「完全なる個人主義の理念」に言及しているからである(44)。ビスマルク時代以降，ド

---

(34) Thomas Mann, „Bekenntnis und Erziehung“（1922），Mann, *Nachträge, Gesammelte Werke in dreizehn Bänden*, Bd. 13, Fischer Taschenbuch, 1990, S. 251-252.
(35) Ebenda, S. 254-255. 強調はマンによる。
(36) Ebenda, S. 255.
(37) 友田『トーマス・マンと1920年代』，138−139頁。
(38) Thomas Mann, *Die Briefe Thomas Manns. Regesten und Register*, Band 1:1889-1933, hrsg. v. Hans Bürgin und Hans-Otto Mayer, S. Fischer, 1976, S. 334. 強調はマンによる。
(39) 友田『トーマス・マンと1920年代』，142頁。
(40) Mann, „Von Deutscher Republik“, S. 131-132.
(41) 石田「有機体としての国家」，210頁。
(42) Mann, „Von Deutscher Republik“, S. 144.
(43) Ebenda, S. 151.
(44) Ebenda, S. 141.

イツにおいて国家・有機体アナロジーはますます権威主義的に，反共和的・反民主的に方向づけられていたことを考えると，マンのこの機能転換は驚くべき大胆な行為だったと言える。

とはいえ，『共和国』の中で言われる「有機的でフマーンな」「共和国」は，以前のマンの保守的な有機的国家論から完全に脱却しているわけではない。マンは「感激に死を覚悟して出征した」1914年の国民的高揚（nationale Erhebung）に触れ，「あの時に共和国は諸君の胸の内に成立したのです。（・・・）そして諸君の内に国家（Staat）は成立し，その生命は諸君の燃え上がる共同体に根ざし，諸君が共和国でした」と述べる(45)。この「共和国」の理念が，1918年11月に成立を宣言され，1919年7月に正式の憲法を制定した現実のワイマール共和国と完全な同一物でないことは明らかである(46)。むしろ，この「共和国」は友田の指摘する通り「1914年の理念」の延長上にあると考えられる(47)。このように，1922年のマンにおける「共和国」観は以前の保守的な共同体観と未分化であった。『共和国』において共同体の個と全体の関係は「フマーン」なものとして描かれているとはいえ，あるいはそれゆえいっそう，有機体アナロジーに内在する二律背反を克服しているというよりは，それを見えにくくしているともいえる。

4 『共和国』以降――「有機体」と国家の分離

『魔の山』に関して，「雪」の場面における「人間愛」の理念と『共和国』との並行関係がしばしば指摘される。しかし，小説は主人公が第一次世界大戦の戦場に消えていく場面で幕を閉じ，人間愛の理想が実現されるのかどうかは疑問符のついたままになる(48)。本論は，この結末は同時に，有機的な共同体の理想性にも疑問を投げかけるものであると考える。主人公のいる隊は「甚大な損害を出してもなお戦って勝ち，千の声で勝どきを叫ぶことができるように編成された，一つの身体（ein Körper）」であり(49)，「三千人いれば一部損害が出ても耐えることができ（einen Aderlaß aushalten），その後もなお隊は群れをなしている（ein wimmelnder Verband）」(50)。個々の兵が間引かれ（sich vereinzeln）(51)，放血（Aderlaß）によって失われても隊（Verband）全体は生きる，というのは全体を優位に置く有機体論理の究極の帰結である。

隊全体からハンス・カストルプ一人に目を転じるとどうだろうか。彼はよろめき前進しながら〈菩提樹〉を口ずさんでいる。この歌についてはすでに，第七章の「楽音の泉」において「非常に民衆的で生命に満ちた性質のもの（etwas sehr Volkstümlich-Lebensvolles）」でありながら「死が作り出し，死を宿している生命の果実」であると描写されている(52)。「この歌に精神的に親近感を持つということは，やはり死に親近感を持つということ」であり，それゆえこの歌の世界は「責任をもって陣取りをする生命愛（Lebensfreundschaft），有機的なものへの愛（Liebe zum Organischen）の目から見れば，正当な理由から疑わしい目を持って眺められる対象であり，最高裁判官である良心の宣告によると，克己によって克服すべき対象」であるとも語られている(53)。

山口知三の言を俟つまでもなく，ここで問題となっているのは〈菩提樹〉それ自体というより，この歌が象徴するドイツ・ロマン主義だろう(54)。その上で本論が注目したいのは，〈菩提樹〉が表現する世界を，生命の果実（有機体）であるとしながら，同時にそれを「有機的なものへの愛」によって克服されるべき対象としていることである。ドイツ・ロマン主義は，マンが『考察』の中で擁護していたドイツ文化そのものである。しかし『共和国』の中でマンは，「戦争はロマン主義です」(55)と述べたうえで，反動勢力の「センチメンタルな粗野」(56)「愚劣なロマン主義」(57)を非難して，「ロマン主義を本当に血肉化している人ならば，こういう一時的な危急に際しては，センチメンタルな

(45) Ebenda, S. 130-131.
(46) 山口知三『三つの国の物語――トーマス・マンと日本人』（鳥影社，2018年），22頁。
(47) 友田は，マンの「転向」は，おのれが求めるドイツ像，「1914年の理念」に動機づけられたドイツ像，西（西欧デモクラシー）と東（ロシアのボルシェヴィズム）の「まんなか」として諸対立の解消を可能にする「第三の国」を，保守的思想潮流に身を置いたまま彼の考える「共和国」の上に具現してゆこうとする試みであったと理解している（友田『トーマス・マンと1920年代』，119頁）。
(48)「雪」の共同体像と当時の共同体論の関係については，拙著『正しい共同体？』を参照されたい。
(49) Thomas Mann, *Der Zauberberg* (1924), *Gesammelte Werke in Einzelbänden*, hrsg. v. Peter de Mendelssohn, S. Fischer, 1981, S. 1003.
(50) Ebenda, S. 1004.
(51) Ebenda, S. 1003.
(52) Ebenda, S. 917.
(53) Ebenda, S. 917.
(54) 山口『三つの国の物語』，27頁。
(55) Mann, „Von Deutscher Republik“, S. 122.
(56) Ebenda, S. 125.
(57) Ebenda, S. 122.

粗野のかかる厚顔な要求（ロマン主義を僭称することを指す――筆者）を拒否する一助たらんとして，政治的啓蒙家になりかねないほどです」と述べる[58]。マン自身，『考察』をはじめとする保守的な著作を通して，反動に堕したロマン主義に加担したのではないかという責任を感じていたからこその発言である[59]。講演の終わり近くになってマンは「死への共感」と「ロマン主義」とを同一視したうえで[60]，「死に対する共感が悪徳のロマン主義であるのは，死が独立の精神的な力として生に対置される場合のみ，死が聖化しつつ聖化されて生のうちに吸収されない場合のみ」であると述べて，死への共感を有機的なもの・生に対する共感へと吸収し，人間へと通じることが教養小説のテーマであると語る[61]。こうした発言から〈菩提樹〉を解釈するならば，次のようになるだろう。〈菩提樹〉は「非常に民衆的で生命に満ちた」歌曲であり，「転向」以前マンが擁護していた有機的なドイツ文化の象徴である。しかし政治的責任，すなわち「フマニテート」の意味における「有機的なものへの愛」の目からは，克己によって克服すべき対象となるのである。

『魔の山』作中において〈菩提樹〉が「克服され」，「フマニテート」へと至ったのかは最後まで曖昧である[62]。他方，小説外の現実世界においては，マンは次第にロマン主義をデモクラシーの側に引き入れようとすることに懐疑的になっていったと思われる。ワイマール共和国初代大統領エーベルトの急死に伴う1925年4月の大統領選挙の際，右翼の諸党派は第一次世界大戦の国民的英雄，パウル・フォン・ヒンデンブルクを担ぎ出したが，これに対しマンは，4月23日の手紙において，「ヒンデンブルクの立候補は，穏やかな言い方をするなら〈菩提樹〉なのです」と述べている。「私は『新自由新聞』で，ドイツ国民のロマン主義的な本能の恥ずべき悪用に反対した」うえで，ドイツ国民が「大昔の戦士を元首に選ばない」ことを望んでおいた，とマンは報告し，「頼りないハンスも，この程度までには成長したのです」と自らを評している[63]。山口はここで，「第一次大戦時の英雄を今ごろ担ぎ出すのは，すでに食べ時を失して腐敗しはじめている，〈菩提樹（リンデンバウム）〉に象徴されるロマン主義的な果実を，その種の果実の大好きなドイツ国民の食卓に提供するに等しい，とマンには思えたのである」と説明している[64]。マンは『魔の山』において，ロマン主義という「文化としての有機体」を「フマニテート」の側へと救い出すことを試みたが，その試みは個を犠牲にする「有機的共同体」の中での死という結末を与えられたことで，極めて両義的なものになっている。この試みを通して得た認識が，マンをして，ヒンデンブルク担ぎ出しを否定的なニュアンスで〈菩提樹〉であると評さしめたのだろう。

これと軌を一にするように，1920年代半ば以降のマンにおいては，有機体概念が国家と関係づけられる例はほとんど見られなくなる。1925年刊行の評論集にも「ゲーテとトルストイ」と題されたエッセイが収録されているが，その内容は，先に引用した1920年代初めのゲーテ関係の講演とはずいぶん異なっている。自然児ゲーテの持つ「有機的なものへの共感」[65]は，身体への関心として描かれはするが[66]，「有機的なものとの共感の最高の対象である人間の形姿という理念」[67]の究極の段階として「国家」が名指しされることはなく，「社会的なもの」が「文化理念，教養理念から有機的に生じ育つ」という，教養小説における個人の発展と社会貢献との関連においても，「国家」についてはやはり言及されない[68]。そして，1921年の講演の末尾におかれた「多層的な民族有機体」というドイツの

(58) Ebenda, S. 125.
(59) Ebenda, S. 125.
(60) Ebenda, S. 156.
(61) Ebenda, S. 157-158.
(62) 作中では，この歌を克服しようとして死ぬ者は「根底においてすでに，新しいもののために，彼の胸の内にある愛と未来の新しい言葉のために死ぬのだから，その意味で彼は英雄なのだ」と述べられている（Mann, *Der Zauberberg*, S. 918）。しかし，〈菩提樹〉を歌いながら戦地に消える主人公が果たして死への共感を克服し，愛へと至ったといえるのか容易に判断できない。ハンス・ヴィスキルヒェンは，『共和国』はロマン主義を擁護しきれておらず，したがってそこでのロマン主義と共和国の統合も実はうまくいっていないとしたうえで，これと軌を一にして，小説内でも主人公の「死への親近感」はフマーンな理想に統合され「克服」されてはいない，と主張している（Hans Wisskirchen, *Zeitgeschichte im Roman. Zu Thomas Manns „Zauberberg" und „Doktor Faustus"*, Francke, 1986, S. 102-103）。
(63) Thomas Mann, *Briefe 1889-1936*, S. Fischer, 1961, S. 239.
(64) 山口『三つの国の物語』，27頁。ただし山口は，マンが1932年4月の大統領選挙では，ヒトラーの当選を防ぐため公然とヒンデンブルクを支持したことも付け加えている（山口『三つの国の物語』，28頁）。
(65) Thomas Mann, „Goethe und Tolstoi" (1925), Mann, *Leiden und Größe der Meister, Gesammelte Werke in Einzelbänden*, hrsg. v. Peter de Mendelssohn, S. Fischer, 1982, S. 64.
(66) Ebenda, S. 115-116, 119.
(67) Ebenda, S. 121.
(68) Ebenda, S. 123.「有機的なもの」と共同体ないし国家が直接結びつけられなくなった一方で，「フマニテート」は依然として共同体を支える重要な要素として性格づけられる。マンはゲーテの「教育州」に触れて，「人間性（Menschlichkeit），人間の尊厳，教化，

夢を描いた箇所もまた，1925年所収版では完全に削除されている。レーネルトとヴェッセルは，マンは1921年版の「多層的な民族有機体」という「保守革命の夢」の右派偏向性を認識するに至り，1925年版においてその箇所を削除することで，フマニスティッシュで宥和的なこのエッセイ本来の立場を強調したと解釈している(69)。それは同時に，自身の以前の立場を自己批判することで，台頭するファシズムと対峙するマンの政治姿勢の表れであることは間違いない(70)。1930年代以降，マンはますます，「フマニテート」の理念によって結束した反ファシズム共同体の必要性を訴えるようになっていくが，この共同体もまた，「有機体」の比喩で語られることはないのである(71)。

ネーションと有機体とが密接に結びついていた19世紀以降のドイツの国家論を，『考察』前後のマンは共有していた。その後，ドイツのあるべき国家を「共和国」に読み替えることで，マンは保守的な立場から距離を取った。マンの「有機体」概念は，ネーションから「フマニテート」の側への移行という「転向」を経験したのである。しかし，「有機体」と「フマニテート」をともに国家の枠組みで語ることの矛盾（言い換えれば，「共和国は1914年に誕生した」と主張することの矛盾）を，『魔の山』以降の著作は暗示しているようである。マンにおいて「フマニテート」が共同体と不可分であり続けたのとは異なり，有機体概念が人間（人体）への関心という意味に限定されるようになったことの背後には，国家論としての有機体論が，戦争における個人の犠牲をも肯定する「愚劣なロマン主義」へと堕落する危険性への認識があったのだろう。このように，マンにおける「有機体」の変遷は，19世紀から続く「有機体」の二律背反との格闘の中に位置づけられてこそ，理解されうるのである。

教養などの概念は，最も厳粛な秩序や位階の概念と，さらには畏敬，伝統，象徴，秘密，規律，リズム，輪舞のような，自由でありながら振付に拘束されていることなどに対する顕著な感覚と，見事に一致している」と評する（Ebenda, S. 130）。個人の自由と全体への従属が一致しているというのはまさしく「有機体」であるが，ここで「有機的」という形容はされない。

(69) Lehnert/ Wessel, *Nihilismus der Menschenfreundlichkeit*, S.139.

(70) Ebenda, S. 139.

(71) Thomas Mann, „Vom kommenden Sieg der Demokratie“（1938）, S. 239; „Maß und Wert. Vorwort zum dritten Jahrgang“（1939）, S. 202; „Dieser Krieg“（1940）, S. 375; „Schicksal und Aufgabe“（1944）, S. 664. いずれも Mann, *An die gesittete Welt, Gesammelte Werke in Einzelbänden*, hrsg. v. Peter de Mendelssohn, S. Fischer, 1986 所収。

トピックス

ドイツは移民の統合に失敗したか？
——教育政策の視点から

佐々木優香／伊藤亜希子／立花有希／近藤孝弘

1 はじめに

本稿は，2019年6月30日開催の日本ドイツ学会大会で上記の題目のもとに行われたフォーラムにおける3つの報告の概要をまとめたものである。

ますます多くの外国人労働者を受け入れながら，それでも移民は受け入れないとの姿勢を政府が取り続ける国に暮らす人々の目に，近年はアメリカに次ぐ移民を受け入れているドイツは謎めいた存在と映っているようである。事実，ドイツにおける移民の統合の困難を報じる記事や論考は多数にのぼり，そこでは，移民はマジョリティと比べて失業率が高いといった認識や，彼らに対する手厚い支援に不満を抱く人々の支持がAfD等に集まっているといった状況が伝えられてきた。こうした個々の情報は基本的に間違っていないものと思われるが，問題は，それらをつなぎ合わせても移民をめぐるドイツ社会の現状に対するリアルな理解は得られそうもないことである。もっと別の視点が求められていよう。

たとえば各国の統合政策を数値化した「移民統合政策指数2015」は，ドイツと日本のあいだに大きな差が存在することに加え，前者はイギリスやフランスあるいはオランダなどの近隣諸国と比べても積極的に移民の統合に努めてきたことを示している(1)。

本来数値化が困難な性格を持つ諸政策に関する国際比較分析については，その結果の妥当性を常に問う必要があるとはいえ，こうした注意点も含めて，このフォーラムでは特に日本の政策評価が低い教育分野に焦点化して，ドイツにおけるこれまでの施策とその成果を検討した。具体的には以下のように，アウスジードラーに対する言語政策，移民の親への教育支援策，そして学校における第二言語教育に関する政策についての研究報告とそれに基づく討論が行われた(2)。

2 アウスジードラーの統合——言語政策の変遷と第二世代の言語状況からの考察

アウスジードラーは，ドイツへの移住後も他の移民グループと比較して統合支援の点で特権的な立場にあった。それにもかかわらず実際には，不十分なドイツ語能力に起因する課題が報告されている(3)。東欧研究所の調査によれば，90年代前半に入国した旧ソ連出身アウスジードラー家庭で使用されていた言語は，ドイツ語とロシア語の併用が45.7%，ロシア語のみが45%，ドイツ語のみが7.8%である。つまり移住後も，アウスジードラーにとってはロシア語が主要な言語であった。また2016年に実施された同様の調査でも，家庭内では依然としてロシア語が高い割合で使用されていたことが明らかになっている(4)。

では，アウスジードラーの流入がピークを迎えた90年代から約30年が経過した今日，ドイツで生まれ育った第二世代の言語状況はいかなるものだろうか。

彼らの生活環境に注目すると，たとえばノルトライン＝ヴェストファーレン州（以下NRW州）では，移民の背景をもつ人々の増加に伴い，1997年に出自言語授業（Herkunftssprachlicher Unterricht）が導入されている。この授業は欧州評議会の複言語主義の影響を受けて展開されたものであり，個人が備えもつ複数の言語能力や，各言語との接触経験を重視している。また，近年の出自言語授業は外国語科目を補完する役割も担っており，出自言語をアビトゥアの科目として認める学校も存在する。さらに，出自言語の学習の成果が就職に有利となる仕組みも整備されつつある。

このNRW州のデトモルト市で，筆者（佐々木）は2018

(1) Migrant Integration Policy Index 2015. http://www.mipex.eu（2019年11月6日閲覧）
(2) 本稿は，「はじめに」と「おわりに」を近藤孝弘が，第2節を佐々木優香が，第3節を伊藤亜希子が，第4節を立花有希が執筆した。
(3) Sabine Ipsen-Peitzmeier/ Markus Kaiser (Hrsg.), *Zuhause fremd. Russlanddeutsche zwischen Russland und Deutschland*, Bielefeld: transcript Verlag, 2006を参照。
(4) Boris Nemtsov Foundation for Freedom, “Russian-speaking Germans”. https://nemtsovfund.org（2019年11月6日閲覧）を参照。

年6～7月に13～18歳のアウスジードラーとしてドイツに移住してきた者を親にもつ生徒34名に対してインタビュー調査を行った。そこから以下の3点が明らかになった。

第1に，全員が家庭内でロシア語に触れる環境下にある。言語使用の様態を大別すると，①家族全員とロシア語で会話する，②家族の言語レベルにより使い分ける，③両言語を併用する，④両親はロシア語，自分はドイツ語で話すといった4類型に分類される。

第2に，家庭内で頻繁にロシア語を使用する生徒の大半が，学校のロシア語授業に参加している。

第3に，対象生徒の中には，ロシア語を維持することの重要性を意識する者と，そうでない者の両方が存在する。また，ロシア語授業に参加し，家庭内でもロシア語を積極的に使用する生徒のあいだでは，自分の出自を意識し，家族とのコミュニケーション手段としてロシア語の重要性を意識する者と，ロシア語能力を進学や就職と結びつけて考える者が見られた(5)。一方，ロシア語は重要ではないと回答した生徒は，その理由を「ドイツに住んでいるから」，あるいは「全くできないから」などと答えており，ロシア語と距離をとっている様子が伺われた。

今回の調査から，ドイツで生まれ育った第二世代のあいだではドイツ語が優勢となりつつあるものの，特に親がロシア語の保持を望んでいる場合には，その意向が子どもに影響を与えていることが推測された。また，こうしたロシア語の保持を促す環境として，出自言語授業の設置に象徴されるように，その言語学習の成果を評価する制度が構築されてきたことがあり，それは移民に対するドイツ社会の一つの変容を示していると考えられる。

3 統合の一助としての移民の親への教育支援——異文化間教育の文脈からの再考

ドイツにおける移民の統合については，PISA（OECD生徒の学習到達度調査）によって浮上した移民の子どもの低学力問題をはじめ，「統合の失敗」という論調で語られることが少なくない。移民の教育を主題の一つとする異文化間教育が蓄積してきた学術的・実践的知見は，こうした論調に覆い隠され，看過されている感が否めない。このような状況を踏まえ，この報告では，見過ごされがちな学術的・実践的努力とその課題を検討した。

異文化間教育学においては，移民の持つ文化的差異を，補償すべき「欠損」から尊重すべき「差異」へと捉え直す努力が重ねられてきた。さらには「文化」に焦点化するあまりに捨象されがちなその他の要素（宗教，階層，ジェンダー等）も含めて，差異を多面的・複層的・交差的に捉えて議論し，社会構造に対する変革を求める視点を強調している(6)。こうした理念的な議論に加えて，移民の子どもの教育を支える親に着目した研究や実践も盛んになっている。これらは，親と教育施設との協働や親活動（Elternarbeit）への参加，関係性を形成・維持する母親の居場所づくりが，移民の子どもの教育支援の鍵となると指摘している(7)。なかでも親の参加は，統合のために特に重要である。この点についてフートは，サービスを享受する存在から参加の主体へと移民が変化することで，文化的側面，構造的側面，社会的側面，情緒的側面の4側面から統合が促進されると指摘している(8)。

では，こうした議論が展開されるなかで行われている実践はどのようなものだろうか。

このような活動の一つとして，NRW州のリュックサック・プログラムが有名である(9)。1999年以降，開発と普及が進められてきたこのプログラムは，母語とドイツ語の両言語を用いて就学前の子どもの言語習得を促進し，併せて母親のエンパワメントを目指すものである。子どもが保育施設で行う活動を母親が学び，それを家庭で子どもと母語で行い，同様の活動を子どもは保育施設においてドイツ語で行う点が特徴である。

言語的差異も含め，このプログラムでは母親自身が子どもの教育的リソースとして捉えられている。効果については，ケルン市での実践を対象にケルン大学が検証を行い，2015年に報告書を刊行しており(10)，そこでは，リュックサック・グループを率いる指導者（トレーニングを受けた

(5) 佐々木優香「ドイツにおける移民の第二世代と出自言語教育に関する一考察——ロシア語授業の事例から」『移民政策研究』第11号（2019年），173-187頁。

(6) この議論の一部については，伊藤亜希子「ドイツにおける公正な社会の構築をめざした異文化間教育政策——研究との関連に着目して」『福岡大学人文論叢』50巻2号（2018年），379-396頁を参照。

(7) ドイツにおける先行研究や実践例などについては伊藤亜希子『移民とドイツ社会をつなぐ教育支援——異文化間教育の視点から』（九州大学出版会，2017年）を参照。

(8) Susanne Huth, „Selbstorganisation und bürgerliches Engagement“, Veronika Fischer/ Monika Springer (Hrsg.), *Handbuch Migration und Familie*, Schwalbach/ Ts.: Wochenschau Verlag, 2011, S. 208-216.

(9) このプログラムは，RAA（Regionale Arbeitsstelle zur Förderung von Kindern und Jugendlichen aus Zuwandererfamilien, 2013年の法改正により Kommunales Integrationszentrum）によって開発された。1999年の開発以降，NRW州にとどまらず連邦全土で実践されている。概要については伊藤『移民とドイツ社会をつなぐ教育支援』，151-155頁を参照。

(10) Hans J. Roth/ Henrike Terhart (Hrsg.), *Rucksack. Empirische Befunde und theoretische Einordnungen zu einem Elternbildungsprogramm für mehrsprachige Familien*, Münster: Waxmann, 2015.

移民の母親）や参加している移民の母親へのインタビュー調査から，プログラムの成否に関わる要因として指導者と母親の関係性が指摘されている。また，このプログラムの結果，母親の自尊心の向上だけでなく，父親やコミュニティへの波及効果も見られることが確認された。これはフートによる文化的側面や情緒的側面での統合と捉えうる。特に，移民自身がマジョリティとの文化的差異を依然として欠損として捉えている場合が少なくなく，そうした自己評価を修正するものとして，このプログラムは有効であると考えられている(11)。

なお，「異文化間」の「間」を強調するとき，移民だけでなくマジョリティであるドイツ人も含まれることになるが，支援の対象をドイツ人にも開くことが望ましいのか，それとも従来どおりにドイツの教育施設と移民のあいだのコミュニケーションが統合に資することを重視するのか，という論点が生じる。また，異文化間教育の学術的議論を踏まえるならば，移民が被っている不利益を多面的・複層的・交差的に捉える教育支援の場をさらに作り出すことについて議論する必要があるだろう。

4 学校における第二言語としてのドイツ語教育

移民の統合を推進する教育政策として，まず思い浮かぶのは言語教育分野であろう。事実，近年ドイツでは第二言語としてのドイツ語（Deutsch als Zweitsprache，以下 DaZ）教育の充実が図られてきた。この背後には，移民の統合という社会的課題と共に，いわゆる PISA ショックに連なる教育的課題が大きな推進要因としてある。PISA などの国際学力調査によって，ドイツでは成績下位層の割合が高く，移民背景や社会階層による成績格差が大きいという事実が客観的に示された。そこから移民の背景を持つ児童生徒の教育が重要課題であるとの認識が共有され，なかでも移民第二世代の教育に意識が向けられた。なお PISA 2015 のデータによれば，ドイツでは移民の背景を持つ生徒が 28.1％（OECD 平均 23.1％，EU 平均 21.5％）であり，そのうち移民第二世代は 46.8％（同 24.8％，23.8％）に上っている。

言語教育に関して集中的に資源が投じられているのは就学前教育領域である。子どもの言語発達上の課題を可能な限り早い段階で見つけ出し，積極的に教育するというアプローチが各州で独自の方法により制度化されている。たとえばバーデン＝ヴュルテンベルク州では，就学の 15 ～ 24 か月前に指定された方式（HASE, SETK3-5）で言語発達調査が実施され，支援が必要と判断された子ども（27.6％，2016 年）に対しては追加的な言語促進を行うという形がとられている。これに対して NRW 州などでは，言語発達状況の把握とそれに応じて必要とされる教育は，園での日常活動に組み込まれるべきものとされている。

以上のような就学前教育での施策も，また学校教育段階での施策も，最近では移民背景の有無を問わずに行われるようになっている。このことを理解するのに重要な概念が「学習言語」（Bildungssprache）である。学校で求められるドイツ語は，単語だけ取ってみても，教科固有の専門用語はもとより，日常会話でも使われる語が特定の学習場面ではいつもとは別の固有の意味を持つ場合（数学での gerade など）があるなど，独特である。加えて，話しことば／書きことば，事実／意見，文体や表現の選択など，学習場面で要求される言語的操作能力は多岐にわたる。これについては，移民背景のない児童生徒でも社会経済的に不利な家庭の子どもを中心に，同様の課題を抱える場合があることから，移民の統合に向けたドイツ語教育は，より包括的な枠組みで捉えられるようになっている。

包括的という点で言えば，「一貫した言語教育」（Durchgängige Sprachbildung）という考え方に基づき，すべての教育プロセス，すべての学習領域にわたるドイツ語教育が志向されていることも確認しておきたい。つまり特定の学習者に対して，一定の期間，特別な教員が特別な内容を教えるドイツ語教育ではなく，あらゆる学習者に対し，あらゆる教科目で，あらゆる教員が DaZ および学習言語の獲得に配慮した教育ができるようにすることが目指されているのである。

なお，職業教育分野における DaZ の教材ならびに教授法の開発は遅れていたが，バイエルン州では職業準備教育における「職業ドイツ語」の教材として『コミュニケーションと行動』（Kommunizieren und handeln）と名づけられた素材集が開発されていることに着目したい。この教材は「学校」「お金」「住居」など 8 つの章からなり，ダウンロードすることもできる。教授計画の実施案も策定され，たとえば自動車電気技師など志望する職種で使われる用語を盛り込んだ文法問題のほか，公的な文書，同僚からのメモなどが例示されるなど，実際的・具体的なドイツ語学習の展開が期待されている。

就学前教育から職業教育を含む学校教育の全段階を通じて，上で述べてきたような望ましい授業を展開するうえでは，教師教育が重要になることは言うまでもない。しかし，その対応は必ずしも十分ではない。教職課程で DaZ 等の学修を全員に義務づける明文規定を設けているのは，バーデン＝ヴュルテンベルク州，ベルリンなど 5 州にとど

（11）Ebenda, S. 208－209.

まっている[12]。

こうした取り組みの成果は上がっているのだろうか。

15歳児を対象とするPISAでは，読解力が重点分野であった2000年調査と2009年調査を比較すると，リスクグループ（レベル1ならびに1未満）の割合が22.6％から18.5％へと減少しており，底上げがなされたと見ることもできる。他方，初等教育（第4学年）を対象とするIGLU（初等教育段階における国際読解力調査）では，リスクグループの割合に改善があるとは言えない。移民の背景を持つ生徒の成績については，PISAの読解力，数学的リテラシーのいずれもネイティブとの差が若干縮小しているというのが現状である。

5 おわりに

3つの報告は，様々な経緯で入国した移民とその子どもに対し，ドイツ社会への参入のための教育支援がすでに多角的に行われていることを示している。特に言語教育政策という観点からは，職業上の必要性等からドイツ語の習得が求められる一方，母語の保持も明確に目指されていることを確認する必要がある。移民はドイツ語を学ばなければならないのに対し，マジョリティは学習する言語の選択に関する拘束が弱いという点で平等ではないが，誰もが母語を含めて3言語以上を学ぶというヨーロッパの理想ないし目標が，この不平等を若干緩和してもいる。

もちろん，こうした施策や研究上の取り組みにもかかわらず，実態として移民の社会統合上の諸問題に未解決の部分が少なくないのは確かである。しかし，それらの問題はただ放置されてきたのではなく，様々な対応策が地道に進められてきたこと，そして一定の成果が出ていることは確認されなければならない。少なくとも移民とその子どもは支援を受けるだけの存在ではないという理解がすでに広がりを見せており，そのこと自体が統合進展の一段階を表している。

そもそも社会が常に変容・変動している以上，社会統合が全く進まないということはなく，他方でその完成が確認されることもないだろう。そうしたなかで，教育が果たしうる役割は限られているが，ドイツ社会による問題への基本姿勢を理解しようとするとき，それは今後も有意義な分析対象の一つであり続けると思われる。

---

(12) Sachverständigenrat deutscher Stiftungen für Integration und Migration, *Lehrerbildung in der Einwanderungsgesellschaft. Qualifizierung für den Normalfall Vielfalt*, Berlin: SVR GmbH, 2016, S. 12. https://www.stiftung-mercator.de/media/downloads/3_Publikationen/SVR_Mercator_Institut_Policy_Brief_Lehrerbildung_September_2016.pdf（2019年11月16日閲覧）

トピックス

ドイツ・ハレ市における移民・難民の社会統合
——フィールドワーク中間報告

藤田恭子／佐藤雪野／大河原知樹

1 はじめに（藤田恭子）

本稿では，ザクセン＝アンハルト州ハレ市における移民・難民の受け入れに関わる諸施策を概説し，その成果と課題を三つの視点から考察する。すなわち，行政機関および公的支援を得ているNPO，公立の教育機関，ムスリム・コミュニティについて，それぞれ佐藤，藤田，大河原が論じる。上記3名を含むチームは，2017年度から始まった4年間の研究プロジェクト「EUにおける難民の社会統合モデル――ドイツ・ハレ市の先進的試みの可能性と課題」(1)に携わっており，本稿はその中間報告の概要にあたる。

ドイツにおける移民・難民の社会統合の試みのなかでも，ハレ市のそれに注目した理由は複数ある。ハレ市は人口241,333人（2018年末），中規模の地方都市で，東ドイツ時代の基幹産業であった化学工業の衰退も与って人口減少に悩まされてきたが，2010年以降は人口増に転じた(2)。人口増に強く関係すると思われるのは，外国人住民数の増加で，2015年前後から著しく加速した。2013年末には10,536人で全人口の約4.5%であったのが，2018年末には23,225人で約9.6%と，実数及び割合ともに倍以上になった(3)。こうした状況は，人口減少による地方都市の衰退という，日本にも共通する問題を考えるうえで興味深い。

注目すべきは，東欧からの帰還移住者（Aussiedler/ Spätaussiedler）の統合に注目が集まっていた1990年代末から2002年という比較的早期に，同市がイスラーム系などの，より広い視野でとらえた移民の統合に力を入れ，積極的施策を打ち出してきたことである。2の佐藤報告で述べるように，ハレ市当局は，この時期に構築された移民統合ネットワークを2015年前後からの極めて大規模な難民受け入れの際にも駆使し，市当局，宗教団体，NPO等を横断する，社会統合のための支援ネットワークを拡充して対応している。また市長を先頭に，反難民の示威行動への明確な反対姿勢を示してもいる(4)。

2015年9月に連邦政府が難民受け入れを表明する前の同年春の時点で，難民の受け入れ増加を見越して市の移民統合専門官事務所を拡充した点や，住居の提供に際しては，集中管理型ではない，プライバシー空間と日常生活の確保を意識した施策を試みている点(5)も，注目に値する。3の藤田報告で後述するように，州当局の支援予算が削減された際に，市独自の予算により，可能な範囲での支援が試みられたことも特筆すべきことである。またハレ＝ヴィッテンベルク大学のオリエント研究所の教員や学生が，2014年の段階ですでに，市内の中等教育学校に通う難民や移民の背景を持つ生徒の学習支援に参与してお

（1）科学研究費補助金・基盤研究（B），研究代表者：佐藤，研究分担者：大河原，藤田，加えて寺本成彦（東北大学），石川真作（東北学院大学），研究協力者：Thomas Bremer, Stefan Knost, Peter Grüttner（いずれもハレ＝ヴィッテンベルク大学）。本プロジェクトは2016年8-9月に実施した現地調査を踏まえている。当時ハレ＝ヴィッテンベルク大学オリエント研究所客員教授だったクノスト博士よりハレ市の様々な試みについて情報を得たことが，その後の展開へとつながった。

（2）ハレ市HP参照。Stadt Halle, „Bevölkerungsentwicklung (ausgewählte Jahre)“. http://www.halle.de/de/Verwaltung/Statistik/Bevoelkerung/Bevoelkerungsentwick-06050/ （2019年9月16日閲覧）

（3）同上。Stadt Halle, „Einwohner mit Hauptwohnsitz und Ausländeranteil“. http://www.halle.de/de/Verwaltung/Statistik/Bevoelkerung/Einwohner-mit-Hauptw-06101/ （2019年9月16日閲覧）この統計には移民の背景の有無は反映されておらず，移民の背景を持つ住民数はさらに多い。なお連邦移民難民庁経由で受け入れた難民数は2017年末分までは確認可能で，2013年末からの4年間で計5,087人である。Stadt Halle, *Migrationsentwicklung in der Stadt Halle (Saale) 2018*, Halle (Saale), 2018, S. 17.

（4）2015年8月22日（土），ハレ＝ノイシュタット地区中央広場で極右の「ドイツ国家民主党（以下，NPD）」が州の難民受け入れ施設建設反対のイベントを計画した際，市長や賛同する市議会議員らが，「ハレが世界に開かれていることを示すべく」同日朝に同地で野外朝食会を開催しようと呼びかけた。市民や数百人の移民･難民など，あわせて千人超が朝食持参で集まり連帯を確認するなか，NPDはイベントを断念した。Vgl. Jan Möbius/ Silvio Kison/ Detlef Färber, „Kaffee statt Hass. ‚Frühstück für Weltoffenheit‘ in Halle“, *Mitteldeutsche Zeitung* vom 23. 08. 2015.

（5）Vgl. „MZ-Gespräch zum Thema Flüchtlinge –Teil.2: Wiegand: ‚Wir setzen in Halle auf eine starke Willkommenskultur‘“. *Mitteldeutsche Zeitung* vom 13. 09. 2015.

り[(6)]，難民や移民の社会統合における大学の役割についても考察するべき事例が散見される。

メディアにおいてはドイツの難民受け入れについて，特に東部地域の反移民・反難民の動向に注目して報じられることが多いが，より具体的な施策を踏まえることで，難民の社会統合に向けた諸施策の可能性と課題や限界を理解できると筆者たちの研究チームは考えた。本プロジェクトでは，ドイツ語圏文化や社会に携わる研究者とイスラーム圏文化や社会に携わる研究者が連携し，ホスト社会に視点が偏らないよう配慮している。その上で，各種機関の活動事例を踏まえ，日本での移民や難民，外国人労働者等の受け入れを想定する場合に参考となるであろう点などについても検討している。

2 行政と関連諸団体――ハレ市移民統合専門官事務所と移民統合ネットワークの役割（佐藤雪野）

2.1 統合における行政の役割

2.1.1 ハレ市移民統合専門官（Beauftragte/r für Migration und Integration）事務所など

ハレ市において，移民統合専門官事務所が行政の移民統合の所管部局となっており，専門官は市長直属の役職である。同様の役職は連邦及び州レベルにも存在し，他の都市にも存在する。

ハレ市の専門官の重点活動領域は以下の通りである[(7)]。1）統合と異文化間共生の促進。2）市行政当局内外の交流・協力の仲介。3）ハレ市全域で提供されるサービスのコーディネートととりまとめ。4）助成金に関する取り決め：州行政庁（Landesverwaltungsamt〔LVwA〕），連邦移民難民庁（Bundesamt für Migration und Flüchtlinge），ザクセン＝アンハルト州外国人専門官（Ausländerbeauftragte vom Land Sachsen-Anhalt），連邦政府移民難民統合専門官（Beauftragte der Bundesregierung für Migration, Flüchtlinge und Integration）間の助成金に関する取り決め。5）ハレ市移民統合ネットワーク（次項参照）の組織・行事のコーディネートと施行。6）ドイツ人と移民及び外国人に固有な問題を扱う施設との間の仲介。7）移民組織の支援と仲介。8）プロジェクトに関連した社会施設配置計画。9）人種的背景による差別事例の紛争処理。10）ハレ市における移民に関する事柄に関する有権者への情報提供。11）州外の諸都市のネットワークとの協力。12）広報活動。

移民統合専門官及び同事務所は市長直属の役職・組織のため，その活動には市長の政策・意思が大きく反映する。2020年1月現在のハレ市長は，2012年12月に就任し，現在任期7年の2期目を務めているベルント・ヴィーガント（Bernd Wiegand, 1957-）である。元社会民主党（以下，SPD）員だが，現在は無所属で[(8)]，2019年10月の市長選挙で再選された。

彼が市長として移民・難民統合関係で実現させたのは以下の通りである[(9)]。1）移民統合サービスセンター（Dienstleistungszentrum Migration und Integration: DLZMI）の設立。2）ハレの学校における移民を背景とする児童の言語補助に関する州の課題の引き受け[(10)]。3）ハレ市に割り当てられた庇護請求者を公営施設に閉じ込めずに分散して収容。

市長再選を受け，移民統合サービスセンターの組織替えがあったが，市長1期目の移民統合サービスセンターには二つの領域の任務があった。一つは移民統合専門官の指導のもと，寄付やボランティアのコーディネートを行い，移民統合ネットワークを強化すること，もう一つは難民が民間の住居に住むことの支援である[(11)]。ハレ市が難民収容施設に難民を集中的に長期間住まわせずに，分散して受け入れたことは，他の自治体と異なった特徴であり，これが市民とともに難民を受け入れ，統合する市の方針の可視化につながり，更に難民自身も自ら積極的に市民社会へ統合することが求められ，能動的な統合を促すことにもなっている。

（6）Dreen Hoyer, „Arabisch hilft in der Deutschstunde“, *Mitteldeutsche Zeitung* vom 02. 10. 2014.

（7）ハレ市HP，移民統合専門官紹介ページ。Stadt Halle, „Beauftragte für Migration und Integration“. http://www.halle.de/de/Verwaltung/Verwaltungsorganisation/Geschaeftsbereich-Ob-05840/Beauftragte-fuer-Mig-06089/（2020年1月11日閲覧，2020年1月22日現在リンク切れ）モバイル版 https://m.halle.de/de/Verwaltung/Verwaltungsorganisation/Geschaeftsbereich-Ob-05840/DLZ-Integration/Beauftragte-fuer-Mig-06089/（2020年1月22日閲覧）なお以下の記述における組織名や役職名などは，原則としてハレ市HPの記載に従う。

（8）ヴィーガント市長個人HPの経歴紹介ページ。Bernd Wiegand, „Lebenslauf“. https://bernd-wiegand.de/person/lebenslauf/（2020年1月11日閲覧）

（9）同HPの2019年選挙綱領・教育社会連携分野紹介ページ。Wiegand, „Bildung und Soziales Miteinander“. https://bernd-wiegand.de/wahlprogramm-2019/bildung/（2020年1月11日閲覧）

（10）州予算を市の予算で肩代わりして実施した。

（11）ハレ市HPの移民統合サービスセンター紹介ページ。Stadt Halle, „Dienstleistungszentrum Integration“. http://www.halle.de/de/Verwaltung/Verwaltungsorganisation/Geschaeftsbereich-Ob-05840/Dienstleistungszentr-08825/（2019年9月15日閲覧。市長再選に伴い，組織替えがあったため，2020年1月11日現在リンク切れ）

2.1.2 移民統合ネットワーク（Netzwerk für Migration und Integration）[12]

NPO 等と行政のネットワーク化を目的として，ハレ市では，2002 年から移民統合ネットワークが活動しており，2016 年現在，そこで 95 の団体の約 240 人が活動している。

ネットワークの運営委員会は，労働専門部会，ドイツ語専門部会，社会生活専門部会，移民組織専門部会，移住専門部会，ボランティア寄付専門部会と外国人顧問会の代表から構成され，ハレ市移民統合専門官を議長として，委員会が年 3 回開催される。次節にあげる諸団体もこのネットワークに参加しており，ネットワークを通じた情報提供など，ネットワークは行政と NPO などの市民団体をつなぐ機構として重要な役割を果たしている。

2.1.3 外国人顧問会（Ausländerbeirat）[13]

1999 年 8 月から活動を開始した外国人顧問会は，ハレ市によって設置された。顧問会メンバーは，ハレ市在住の外国人による選挙で選出され，任期は 4 年である。直近の 2017 年 11 月の選挙では 8 人が選出された。メンバーは，ボランティアで，移民諸団体や行政と密接に連携して，外国人住民を他の住民と対等にするために活動している。

2.2 移民団体や NPO など

2.2.1 移民団体連盟（Verband der Migrantenorganisationen Halle（Saale）e.V.: VeMo）[14]

2015 年に設立され，現在ハレ市の 11 の移民団体と 9 人の個人会員から構成された移民団体連合である。所属しているのは，アラブ系，モンゴル系，ベトナム系，ロシア系，イラン・アフガニスタン系，ブルキナファソ系，ギニア系などの団体である。移民に資金やオフィスなどを提供するハウス・オブ・リソーシズ（House of Resources）も移民団体連盟のプロジェクトとして運営されている。

2.2.2 ボランティア＝エージェンシー（Freiwilligen-Agentur Halle-Saalkreis e.V.）[15]

1999 年から活動しており，移民統合に限らず，様々なボランティア活動を仲介する NPO である。統合のための活動として以下の施設を運営している。1）「難民のための活動」調整所（Koordinierungsstelle „Engagiert für Flüchtlinge“）。2）ウェブ・サイト「ハレにようこそ」[16]。3）ウェルカム＝トレフ（WELCOME-Treff）[17]。ウェルカム＝トレフは，市民，難民・移民の交流・出会いの場として運営され，カフェが併設され，語学教室，文化活動などが行われている。マジョリティのボランティアだけでなく，移民自身もボランティアとして参加している。

以上のように，行政と移民組織や NPO を，移民統合ネットワークが仲介する形で，ハレ市における難民・移民統合が進められている。その背景として，大学都市としてのハレ市には，ボランティアの担い手となり，寛容性の源となる学生が多く居住していることがあげられる[18]。また，2018 年の現地調査での観察によれば，実際のボランティア活動に年配の女性も活発に参加していることが見受けられた。現状のように行政と諸団体を両輪にネットワークを車軸とした統合が機能するか否かが，統合実現のカギになると考えられる。

3 学校教育機関の可能性と課題――初等および中等教育機関を中心に（藤田恭子）

3.1 ハレ市内の公立学校の現況

筆者は 3 年にわたりハレ市の教育現場における移民・難民をめぐる取り組みの推移を観察している[19]が，教育現場は極めて難しい局面にある。対応する現場の教員は最大限の努力を重ねている。しかし成果の一方で，教員の負担

（12）ハレ市 HP の移民統合ネットワーク紹介ページ。Stadt Halle, „Netzwerk für Migration und Integration“. http://www.halle.de/de/Verwaltung/Zielgruppen/Auslaender-und-Migranten/Netzwerk-fuer-Migrat-07131/Netzwerk/（2020 年 1 月 11 日閲覧）; Stadt Halle, *Migrationsentwicklung in der Stadt Halle (Saale)*, S. 24-26.

（13）ハレ市 HP の外国人顧問会紹介ページ。Stadt Halle, „Ausländerbeirat der Stadt Halle（Saale）“. http://www.halle.de/de/Verwaltung/Zielgruppen/Auslaender-und-Migranten/Auslaenderbeirat/（2020 年 1 月 11 日閲覧）; 外国人顧問会 HP。Ausländerbeirat der Stadt Halle, „Der Ausländerbeirat der Stadt（Halle）“. http://www.auslaenderbeirat-halle.de/index.html（2020 年 1 月 11 日閲覧）

（14）移民団体連盟 HP。Verband der Migrantenorganisationen Halle（Saale）e.V., „Willkommen auf den Webseiten des Verbandes der Migrantenorganisationen Halle（Saale）e.V.“. https://vemo-halle.de/（2020 年 1 月 11 日閲覧）

（15）ボランティア・エージェンシー HP。Freiwilligen-Agentur Halle-Saalkreis e.V., „Startseite“. https://www.freiwilligen-agentur.de/（2020 年 1 月 11 日閲覧）

（16）「ハレにようこそ」HP。Freiwilligen-Agentur Halle-Saalkreis e.V., „Willkommen in Halle. Engagiert für Integration“. https://www.willkommen-in-halle.de/（2020 年 1 月 11 日閲覧）

（17）「ハレにようこそ」HP のウェルカム・トレフ紹介ページ。Freiwilligen-Agentur Halle-Saalkreis e.V., „WELCOME-Treff“. https://www.willkommen-in-halle.de/vernetzen/welcome-treff/（2020 年 1 月 11 日閲覧）

（18）2019 年 10 月末現在ハレ＝ヴィッテンベルク大学の学生数は 20,000 人余りである。同大学 HP 大学紹介ページ。Martin-Luther-Universität Halle-Wittenberg, „Die Universität im Profil“. https://www.uni-halle.de/universitaet/geschichte/（2020 年 1 月 11 日閲覧）

（19）2017 年までの状況については，藤田恭子／佐藤雪野「旧東ドイツ地域・ハレ市における移民・難民統合と教育」『国際文化研究科論集』（東北大学大学院国際文化研究科）第 26 号（2018 年），45–54 頁を参照されたい。

も限界に近い。

こうした状況に至った第一の要因は，人口増に伴う児童生徒数，特に外国人児童生徒数の急増である。2013年の児童生徒数に対する2018年の状況を示すと，基礎学校が6,530名から8,657名で133%，全日制中等教育学校（中等学校〔Sekundarschule〕／総合制学校〔Gesamtschule〕／共同体学校〔Gemeinschaftsschule〕）は4,847名から7,036名で145%，ギムナジウムは3,862名から6,227名で161%という増加傾向にある(20)。また同市報告書によれば，2013年度当初の基礎学校における外国人児童が385名だったのに対し，2017年度は1,195名で，全児童の14.1%にのぼっている(21)。各種の全日制中等教育学校における外国人生徒数は同報告書に記載がないが，その割合は2017年度で中等学校では20.8%，総合制学校で4%，共同体学校で28.3%，ギムナジウムで3.8%とある(22)。人数のみならず，学習上でも精神的な意味でも特別な配慮が必要な児童生徒が急増していることが分かる。なお近年は，各地の紛争が長期化し学校教育の機会が奪われるなどの事情から，中等教育の学齢であっても母語の識字がない生徒の転入が例外的とはいえない数であり(23)，教育現場は従来想定していなかった事態に直面している。

他方，州全体の教員数はほぼ横ばいで，2013年の初等教育段階4,716名，中等教育第一段階7,268名に対し，2017年はそれぞれ4,626名と7,355名(24)で，児童生徒数の増加に対応するには不十分極まりない。教員不足は連邦全域に共通する問題となっているが，特にドイツ東部地域は深刻である(25)。西ドイツでは1983年度以降，少子化を前提に教員の定年退職後の補充が抑制され，それが教員養成にも反映されてきたという(26)。東ドイツの状況については把握できていないが，統一後のドイツ東部地域では，人口移動を踏まえて教員数の抑制が一層進められた結果，教員の年齢のアンバランスは著しく，補充に対応できなくなった(27)。市中心部のF基礎学校（以下，F小）では教員充足率101%だが，業務過多もあって体調不良の教員が相

(20) ハレ市役所公表の統計を整理。Stadt Halle, *Stadt Halle (Saale) in Zahlen 2013-2018*, Halle, 2014-2019. 共同体学校とは，基幹学校，実科学校，ギムナジウムの三つの課程を分離せず，それぞれの課程修了を目指す生徒を同一クラスで学ばせる点に特徴がある。4年制の基礎学校修了後の早期段階での進路決定を遅らせ，出自による格差形成の緩和を目指して構想された。Vgl. Kultusministerium des Landes Sachsen-Anhalt, *Gemeinschaftsschule Sachsen-Anhalt. Kurzinformationen für Eltern und Schüler.* https://www.bildung-lsa.de/files/45383845cc28724af91de588092/flyer_gemeinschaftsschule.pdf （2019年9月16日閲覧）

(21) Stadt Halle (Hrsg.), *Bericht zur Bildungssituation von Einwohner/innen mit Migrationshintergrund in der Stadt Halle (Saale) -2018*, Halle, 2018, S. 38.

(22) Ebenda, S. 42.

(23) 後述するK共同体学校での継続的な聞き取り調査による。聞き取り調査に対応したのは，校長あるいは教務主任である。同校で最初に非識字者専用のクラスが編成されたのは2017/2018年度であり，その時点で，識字獲得のために支援が必要な生徒数は10名だった。藤田恭子／佐藤雪野「旧東ドイツ地域・ハレ市における移民・難民統合と教育」，48頁。翌2018/2019年度，識字のための要支援生徒数は11名となったが，前年から在籍していた生徒のなかに転居により転出した者もいる一方，まったく識字のない生徒2名が転入したという。

(24) Sekretariat der Ständigen Konferenz der Kultusminister der Länder in der Bundesrepublik Deutschland (Hrsg.), *Schüler, Klassen, Lehrer und Absolventen der Schulen 2008 bis 2017*, Berlin 2019, S. 54 sowie S. 56. なお，ハレ市内の教員数把握は今後の調査課題である。

(25) Vgl. August Modersohn, „Lehrermangel. Haben sie's endlich gelernt?", *Die Zeit*, Nr. 13. vom 22. 03. 2018.

(26) 西ドイツの教員採用抑制については，榊原禎宏「西ドイツの教員養成制度と『教員失業』問題」（V研究報告）『日本教育行政学会年報』第14号（1988年），286–299頁，特に289–291頁に詳しい。西ドイツでは1975年をピークに児童生徒数が減少し，1985年にはピークの8割弱にまで低下する一方，正規教員数は1976年以降も増加し続け，1983年にピークに達した後，抑制に転じた。1979年の教員採用者33,987名に対し，1986年の採用者は7,261名であるという。榊原によれば，このような教員の採用状況を踏まえてか，ギムナジウム等でアビトゥーア（大学入学資格）を取得した生徒のうち教員養成を目的とする大学・学科等への進学希望者は急速に減少し，1976年には全体の16%を占めていた進学希望者数が，1985年には3.7%にまで低下したという。

(27) 統一後，東部諸州（本稿では旧東ドイツ領のうち，ベルリンを除くブランデンブルク，メクレンブルク＝フォアポンメルン，ザクセン，ザクセン＝アンハルト，テューリンゲンの各州を指す）の児童生徒数は著しい減少を示し，教員採用の抑制につながった。1992年の東部諸州における初等教育段階の児童数は772,084名，教員数は39,719名で，それぞれ連邦全体の22.2%および22.8%にあたる。それに対し，2002年には児童数307,549名で連邦全体の9.7%，教員数は20,806名で連邦全体の13.0%となった。中等教育第一段階でも同様で，1992年の東部諸州における生徒数は1,089,723名，教員数は75,006名で，それぞれ連邦全体の22.7%および23.7%にあたる。しかし2008年には生徒数441,313名，教員数37,059名となり，連邦全体の9.6%および12.7%となった。上の数字は，筆者が下記の資料から算出した。Sekretariat der Ständigen Konferenz der Kultusminister der Länder in der Bundesrepublik Deutschland (Hrsg.), *Schüler, Klassen, Lehrer und Absolventen der Schulen 1992 bis 2001* (Statische Veröffentlichungen der Kultusministerkonferenz), Bonn, 2002, S. 66-67; Sekretariat der Ständigen Konferenz der Kultusminister der Länder (Hrsg.), *Schüler, Klassen, Lehrer und Absolventen der Schulen 1999 bis 2008* (Statische Veröffentlichungen der Kultusministerkonferenz, Bonn, 2009, S. 66-67; Sekretariat der Ständigen Konferenzder Kultusminister der Länder (Hrsg.), *Schüler, Klassen, Lehrer und Absolventen der Schulen 2008 bis 2017*, S. 63-64. 教員の年齢構成のアンバランスについてザクセン＝アンハルト州の2016年8月1日現在の例を挙げると，30歳〜34歳が904名，35歳〜39歳が614名，40歳〜44歳が566名であるのに対し，45歳〜49歳が2,251名，50歳〜54歳が3,849名，55歳〜59歳が3,545名，60歳〜64歳が2,031名となっている。Vgl. Ministerium für Bildung des Landes Sachsen-Anhalt, *Der Lehrkräftebedarf an den Schulen des Landes Sachsen-Anhalt bis 2030 und die Konsequenzen für die Lehramtsausbildung*, Magdeburg 2018, S. 66.

次ぎ，病欠時の補助要員は不在である(28)。郊外のK共同体学校（以下，K校）では，2018年10月の時点で，教員不足のため必要な授業時間数の89%しか充足できていない(29)。クラス規模の拡大などで対応しているが，他教員が代替できない科目（技術や音楽など）は未開講である。州内では授業時間の充足率がより低い学校もあり，隣接州でも深刻であるという(30)。

K校では2018年度，78.8%が移民・難民の背景を持つ生徒となった。従来はドイツ語習得に重点を置いた国際クラスを複数設置し，ヨーロッパ言語共通参照枠（CEFR）のA1レベルの試験に合格後，普通クラスに転入させていたが，2018年度からはドイツ語と他教科を組み合わせたカリキュラムとし，試験ではなく平常点による総合評価に切り替えている。ドイツ語重視のカリキュラムでは生徒の本来の能力を認めて十分に伸ばすことができず，卒業資格取得や就職に不利になるとの懸念がもたれたためである。教員数など所与の条件のもとで，より効率よく普通教育と職業教育との接合が可能となるカリキュラムを指向し，クラス編成も変更している。

3.2　学校に対する支援

経済的支援で，ザクセン＝アンハルト州政府は消極的姿勢に転じている(31)。同州における外国人児童のためのドイツ語学習支援の要件は在独18ヵ月未満であることだが，要支援児童1人当たりの加算額は切り下げられ，2016/2017年度の週0.5時間分に対し，2017/2018年度は週0.35時間分となった(32)。例えば，2016/2017年度には4名の要支援児童を対象に非常勤教員1名が週2時間のドイツ語補助授業を実施可能だったが，翌年度には，補助授業のクラス規模を大きくするか，時間数を減少させることが必要となった。またこの間に該当児童が在独期間18ヵ月を超えると，学習支援加算の対象から外れた。2016年12月末，特別支援クラス担当非常勤教員の雇用契約が切れる際，州教育省は需要の減少を理由に，それまでの185名の非常勤教員のうち88名しか更新しなかった。学年途中でのクラス減に対し広範に批判が噴出したが州政府による対応はなく，ハレ市は独自に市の財政で6月まで毎月約11万ユーロを拠出し，学年末までの雇用を維持した(33)。市の支援は教育現場にとって最後の頼みの綱だが，単年度ごとの支援のため安定的とは言えず，各種助成金申請や報告書作成などで教員の業務は大幅に増えている。F小では各種の支援により，非常勤教員2名を中心に，要支援児童に対して週2～3時間，通常授業の教室とは別室で，少人数のドイツ語補習授業を提供している(34)。

3.3　可能性と課題

初等教育と保育との連携は，統合のために有効な効果を発揮すると考えられる。F小には学童保育が併設され，始業前，放課後，休暇中も児童を預かっている。さらに体制を整備し受け入れ児童を増やしつつあり，2018年度はド

(28) 2018年10月24日に実施した同校校長からの聞き取りによる。

(29) 2018年10月22日に実施した同校教務主任からの聞き取りによる。なお2019年11月25日に実施した同校校長（前年度の教務主任）からの聞き取りによれば，2019年1月に3名の新任教員が赴任し，そのうちの1名が技術担当教員であったことで，技術科も開講された。

(30) 州内の他校の状況についてはハレ市での複数の聞き取りの際に耳にしているが，本稿執筆の時点では公式の数字に接してはいない。しかし2017/2018年度の最後まで未開講であった授業の地域別数値については，ザクセン＝アンハルト州議会で公表されている。それによると，同年度に州内の公立普通校で予定されていた授業のうち，4.0%が未開講で代替授業も実施できなかった。この数値は，基礎学校や各種の中等教育学校の数値を一括して示したものであり，学校の種類や立地によって状況は相異なる可能性がある。ハレ市と州都マグデブルク市は，ともに4.6%である。Landtag von Sachsen-Anhalt, „Antwort der Landesregierung auf eine Kleine Anfrage von Hans-Thomas Tillschneider（AfD）über Lehrerruhestand und Unterrichtsversorgung bis 2030（II）“, Drucksache 7/4333（09. 05. 2019）, Anlage 1.　https://www.landtag.sachsen-anhalt.de/fileadmin/files/drs/wp7/drs/d4333aak.pdf（2020年1月12日閲覧）なお，注25で示した『ツァイト』紙の記事によると，2018年春の時点で，ザクセン＝アンハルト州において，前年度に退職した教員245名に対し補充できたのは175名であり，そのうちの22.9%は正規の教員養成課程を経ていない者である。隣接するザクセン州では，退職教員660名に対し622名を補充できたが，その62.0%は正規の教員養成課程を経ていない。Vgl. Modersohn, „Lehrermangel. Haben sie's endlich gelernt?“.

(31)「ドイツのための選択肢」（以下，AfD）が第二党に躍進した2016年3月の州議会選挙との関連は，今後の検証課題である。

(32) 2016/2017年度の補助額については，以下に拠る。„Aufnahme und Beschulung von Schülerinnen und Schülern mit Migrationshintergrund an allgemeinbildenden Schulen des Landes Sachsen-Anhalt. RdErl. des MB vom 20.7.2016 – 25-8313“（RdErl. des MB=Runderlass des Ministerium für Bildung）.　https://www.bildung-lsa.de/files/8752d7d20ca8ff58842bbde04d16a1e3/er_migration_allgemeinb.pdf（2018年9月21日閲覧，2019年9月27日時点でリンク切れ）2017/2018年度の補助額については，以下に拠る。„Aufnahme und Beschulung von Schülerinnen und Schülern mit Migrationshintergrund an allgemeinbildenden Schulen des Landes Sachsen-Anhalt. RdErl. des MB vom 20.7.2016 – 25-8313. Inklusive Änderung vom 15.05.2017“.　https://mb.sachsen-anhalt.de/fileadmin/Bibliothek/Landesjournal/Bildung_und_Wissenschaft/Erlasse/Migrationshintergrund_allgemeinbildende_Schulen.pdf（2020年1月22日閲覧）

(33) この問題とハレ市の対応については，以下を参照。Robert Briest, „Lehrermangel in Halle. Streit um Sprachlehrer“, *Mitteldeutsche Zeitung* vom 15. 12. 2016.

(34) 2018年10月24日に実施した同校校長からの聞き取りによる。

イツ語運用能力が皆無あるいは極めて低い児童36名中33名を受け入れ，ドイツ語運用能力向上や生活習慣の理解などで大変良好な成果を得ているとのことである(35)。就学前教育における統合教育も含め，引き続き調査を行い，どのような成果が得られているのかを確認したい。

教員の極めてアンバランスな年齢構成は危機的なまでの教員不足をもたらしているが，その要因としては，教育行政と移民政策や外国人労働者の受け入れ政策，庇護申請制度による難民受け入れといった他分野の政策との連携が十分に図られなかったことなどが挙げられる。日本でも少子化と人口減少を前提に，教員数の削減や大学の教職課程の統合が検討されているが，ハレ市の事例からいえるのは，外国人労働者受け入れ拡大を起点とする社会の展望を踏まえる必要があるということである。

初等教育の現場に比して，中等教育ではより多くより大きな諸問題がある。特に，全日制の中等教育とその後の職業教育との接続は重要な問題である。職業教育は社会統合にとって教育の最終的出口になる部分であり，その意味で職業教育と労働行政との接続を確認することもまた，我々の研究プロジェクトにとって今後の重要な課題の一つとなろう。

4 ハレ市におけるムスリム・コミュニティの形成と展開（大河原知樹）

4.1 ドイツにおけるムスリム・コミュニティの形成と展開

本プロジェクトは，ハレ市におけるムスリム・コミュニティの置かれた状況についても調査している。というのも，ハレの初等・中等教育機関の統合教育，市の移民統合政策や統合に向けたNPO活動は，主としてホスト側の観点に偏り，移民・難民の現状理解に一定の制約が存在するのに対し，ムスリム・コミュニティは，ホストと移民・難民双方の立場にたつからである。したがって，その形成史を紐解くことで，ムスリム系移民・難民の流入がドイツ社会にもたらした影響の一端を，より鮮明にうかびあがらせることが可能になると思われる。

ドイツにおけるムスリム・コミュニティ形成は戦後に本格化し，東西で大きな相違がみられた。西ドイツでは，1960年代に流入したガストアルバイターのうちのムスリム（トルコ，モロッコ，チュニジア，ユーゴスラビア），特にトルコ系ムスリムを中心として1980年代以降コミュニティの組織化が進んだ。他方，東ドイツでは，労働人口ではなく，社会主義陣営諸国の留学生であるムスリムを中心にコミュニティが形成された。コミュニティの中心は，イラク，スーダン，シリア，エジプト，南イエメンなどのアラブ人であった(36)。現在のドイツでは，移民の背景をもつムスリムは380万から430万人（総人口の約5%）で，そのうちトルコ系ムスリムは250万（約6割前後）存在するが，旧東ドイツ地域ではトルコ系のプレゼンスはそれほど顕著ではない(37)。

4.2 ハレ市におけるムスリム・コミュニティ形成と展開

ハレ市では，1993年にシリア出身のムスリムの提唱でイスラーム文化センターが設立された(38)。シリア出身のムスリムは，スーパー・マーケットを郊外に2件開店するなど，ムスリム向けの食料品や生活必需品の供給で重要な役割を果たしている。2007年には信徒の寄付を集めて2階建ての建物を購入し，モスクに転用し，そこで礼拝や結婚，離婚，葬式などの宗教行事を実施している。

筆者らが初めてハレを調査した2016年9月，モスクの内部は複数の小部屋に分かれ，信徒たちは各部屋に分かれて，スピーカーから流れるイマーム（礼拝導師）の声を頼りに礼拝していた。スペースは十分ではなく，路上に敷いたブルーシートでの礼拝者も相当数おり，建物の収容能力（数百名）をはるかに超えていることが一見して明らかであった（1,000～1,500名程度との推計がある）。その主たる原因は2015年の難民・移民流入であり，以前はせいぜい数百人だったムスリム人口が少なくとも2倍(39)，恐らく数千人規模に急増したと考えられる。

時を同じくして，モスクに対する攻撃的な言説や事件が顕在化した。主な事件として，1）男女数名がモスクに侵入し，器物を破壊して右翼的なスローガンを叫ぶ（時期不明。2015年頃か？）(40)，2）ハレ市議会でAfD系議員がモス

(35) 同上。
(36) Deutsche Islam Konferenz, “The history of Muslims in Germany”. http://www.deutsche-islam-konferenz.de/DIK/EN/Magazin/Lebenswelten/ZahlenDatenFakten/GeschichteIslam/geschichteislam-node.html （2019年9月16日閲覧）
(37) Dirk Halm/ Martina Sauer/ Jana Schmidt/ Anja Stichs, *Muslim community life in Germany*. http://www.bamf.de/SharedDocs/Anlagen/EN/Downloads/Infothek/Forschung/Forschungsberichte/fb13-islamisches-gemeindeleben-kurzfassung.pdf （2019年9月16日閲覧）
(38) Islamisches Kulturcenter Halle/Saale e.V., „As salamu aleikum, und herzlich Willkommen“. http://www.islamischegemeinde-halle.de （2019年9月16日閲覧）
(39) „Muslime in Halle（Saale）: Moschee in Halle-Neustadt ist überfüllt“, *Mitteldeutche Zeitung* vom 10. 08. 2017. S. クノスト博士提供PDFによる。
(40) „Zentralrat der Muslime fordert mehr Sicherheit für die Moschee in Ha-Neu“, *Du bist Halle* vom 06. 02. 2018. https://dubisthalle.de/zentralrat-der-muslime-fordert-mehr-sicherheit-fuer-die-moschee-in-ha-neu （2019年9月16日閲覧）

ク移転計画の噂をとりあげ，計画と市当局の関わりを質問（2017年3月）(41)，3）犠牲祭の礼拝中に爆竹の投げ込み（2017年8月）(42)，4）ドイツ語学習を終えてモスクから帰宅途中のシリア人男性（34才）に，何者かが発射した物体が当たり腕を負傷（2018年2月）(43)，などがあげられる。最後の事件については，ドイツ・ムスリム中央評議会やザクセン＝アンハルト州移民団体ネットワーク（LAMSA），移民団体連盟（VeMo）などの移民統合団体が非難を表明し，州政府にハレ・モスクの安全策を講じるよう要請する事態にまで発展した(44)。

ただし，ハレのムスリム・コミュニティや当局がこうした反イスラーム的な行為に対して何の手も打たなかったわけではない。たとえば，ハレ市議会のSPD議員団がハレ・モスクを視察し(45)，ハレ・モスクも定期的にモスク開放日を開催している(46)。また，事件4）直後の2018年2月14日には，当時の連邦政府移民難民統合専門官であったオズオウズ（Aydan Özoğuz）がモスクを訪問した(47)。しかしながら，こうした交流活動も，反イスラームの流れを止めるまでには至っていないようである(48)。イスラーム文化センターは，金曜礼拝に路上で礼拝をしたり，礼拝後の信徒同士の会話による喧噪が起こることで，近隣住民が気分を害したり，一部市民に対して反イスラーム感情を惹起していると考えている(49)。いずれにせよ，ハレのムスリム・コミュニティが，特に2015年以来，深刻な反イスラーム的な行為に悩まされていることは明白であり，今後も問題の推移を慎重に調査していく必要があると思われる。

5 おわりに（藤田恭子）

ハレ市では2019年5月の市議会選挙の結果，キリスト教民主同盟（CDU）と左派党が議席を減らしたものの，それぞれ10議席を得て，かろうじて第一および第二党を維持した。しかし投票結果は従来に比して，左右の非既成政党支持の傾向を強めており，緑の党が9議席を得て第三党に，またAfDが8議席を得て第四党に躍進した(50)。市議会は10月より本格的に始動している。

2019年10月9日，ハレ市でシナゴーグ襲撃事件が起こった。犯人はハレ市の住民ではないが，ユダヤ教新年で最も重要な祭日を狙った反セム主義的な犯行と目されている。ドイツ連邦政府，ザクセン＝アンハルト州政府は即座に，憎悪や人種差別主義，反ユダヤ主義による犯罪への激しい非難と当惑を表明し，ハレ市当局は事件後の治安維持に全力で取り組むとともに，事件の衝撃と遺憾の意を示している(51)。筆者たちとともにプロジェクトを進めているハレ＝ヴィッテンベルク大学の研究者たちも，一様に衝撃

(41) „Moschee-Bau in Halle? So lässt die Stadtverwaltung die AfD abblitzen“, *Du bist Halle* vom 24. 03. 2017. https://dubisthalle.de/moschee-bau-in-halle-so-laesst-die-stadtverwaltung-die-afd-abblitzen （2019年9月16日閲覧）

(42) „Zentralrat der Muslime fordert mehr Sicherheit für die Moschee in Ha-Neu“, *Du bist Halle* vom 06. 02. 2018. https://dubisthalle.de/zentralrat-der-muslime-fordert-mehr-sicherheit-fuer-die-moschee-in-ha-neu （2019年9月16日閲覧）

(43) „Moschee in Halle-Neustadt beschossen – Mann verletzt“, *Du bist Halle* vom 02. 02. 2018. https://dubisthalle.de/mann-in-halle-neustadt-beschossen （2019年9月16日閲覧）

(44) 2018年2月ハレ・モスク襲撃事件へのドイツ・ムスリム中央評議会声明。 https://meemmagazine.net/2018/02/08/المجلس-الأعلى-للمسلمين-في-ألمانيا-يد/ （2019年9月16日閲覧）; „Mehr Polizei-Präsenz vor Moschee in Halle-Neustadt gefordert“, *Du bist Halle* vom 05. 02. 2018. https://dubisthalle.de/mehr-polizei-praesenz-vor-moschee-in-halle-neustadt-gefordert （2019年9月16日閲覧）

(45) „Der Islam in Halle: Islamisches Kulturcenter plant Gesprächskreis mit Hallensern“, *Du bist Halle* vom 06. 06. 2016. https://dubisthalle.de/der-islam-in-halle-islamisches-kulturcenter-plant-gespraechskreis-mit-hallensern （2019年9月16日閲覧）

(46) „Einblicke in den Islam: Tag der offenen Moschee in Halle（Saale）“, *Du bist Halle* vom 01. 10. 2016. https://dubisthalle.de/einblicke-in-den-islam-tag-der-offenen-moschee-in-halle-saale （2019年9月16日閲覧）

(47) „Migrationsbeauftragte Özoguz zu Gast in Moschee in Halle“, *Du bist Halle* vom 14. 02. 2018. https://dubisthalle.de/migrationsbeauftragte-oezoguz-zu-gast-in-moschee-in-halle （2019年9月16日閲覧）

(48) AfDは事件4）に遺憾の意を表したが，同時に「イスラームはドイツの一部ではない」とも発言した。„AfD kritisiert Schüsse auf Moschee in Halle – aber: ‚Islam gehört nicht zu Deutschland‘“, *Du bist Halle* vom 09. 02. 2018. https://dubisthalle.de/afd-kritisiert-schuesse-auf-moschee-in-halle-aber-islam-gehoert-nicht-zu-deutschland （2019年9月16日閲覧）この発言そのものは，2010年のドイツ再統一記念祝典でヴルフ大統領が述べたフレーズへの反論となっている。松原好次／内藤裕子『難民支援――ドイツメディアが伝えたこと』（春風社，2018年），239-240頁。

(49) 最近の報道では，緑の党がハレ・モスクの建物拡張による問題解決を主張しているとのことである。„Grüne für Erweiterung der Moschee in Halle-Neustadt“, *Du bist Halle* vom 27. 06. 2019. https://dubisthalle.de/gruene-fuer-erweiterung-der-moschee-in-halle-neustadt （2019年9月16日閲覧）

(50) ハレ市役所HP。Satdt Halle, „Kommunalwahl am 26. Mai 2019“. http://www.halle.de/de/Verwaltung/Wahlen/Wahlarchiv/Kommunalwahl-2019/ （2020年1月18日閲覧）

(51) Vgl. z.B. Presse- und Informationsamt der Bundesregierung, „Anschlag in Halle. Kein Platz für Hass, Rassismus und Antisemitismus（10. 10. 2019）“. https://www.bundesregierung.de/breg-de/aktuelles/reaktionen-halle-1680252 （2020年1月12日閲覧）; „Oberbürgermeister zum antisemitischen Anschlag in Halle（10. 10. 2019）“. https://www.youtube.com/watch?time_continue=64&v=Y_lqOJBUo4A&feature=emb_title （2020年1月12日閲覧）

と当惑を隠せなかった。しかし筆者が個人的にさらなる衝撃を覚えたのは，昨年11月に実施したK校校長からの聞き取りの際に知った生徒たちの様子である。シナゴーグ襲撃事件が起きたのと同日に，トルコ軍がシリア北東部のクルド人部隊に対する軍事作戦を開始した。難民の背景を持つ生徒たちにより強い衝撃を与えたのは，クルド人に対するこの軍事作戦開始の知らせであって，シナゴーグ襲撃事件ではないというのである(52)。難民にはクルド人も含まれており，当然といえば当然のことであるが，移民・難民をも包摂しようとするドイツ社会の多様性の一端を知るうえで，極めて興味深く思われる。

シナゴーグ襲撃事件が影を落とした状態で，10月13日にハレ市長選が実施された。選挙戦は同事件が起こった時点で実質的には終了していた。第一回投票では決着がつかず，現職と左派党／緑の党／SPDが推薦する候補との決戦投票が10月27日に行われ，現職が得票率61.4%で勝利した(53)。この結果により，今後のハレ市の移民・難民の統合政策に決定的な方向転換が生じないであろうことは明らかになった。本プロジェクトでは州や市などの地方政治の行方に配慮しつつ，引き続き，地方行政や教育機関，各種団体の活動について考察する予定である。

(52) 2019年11月25日に実施した同校校長からの聞き取りによる。
(53) 市長選の結果の詳細についてはハレ市HPを参照。Stadt Halle, „Oberbürgermeisterwahl 2019“. https://m.halle.de/de/Verwaltung/Wahlen/Wahlarchiv/Oberbuergermeisterwa-07464/ （2020年1月12日閲覧）

トピックス

オーストリア＝ハンガリーと日本
――国交樹立150周年を記念して

桑名映子／伊藤真実子／村上　亮／大井知範

1 条約締結と交流のはじまり（桑名映子）

1869年10月2日，オーストリア＝ハンガリー海軍の軍艦2隻が横浜沖に到着した。遠征隊の指揮官アントン・フォン・ペッツ男爵は軍人であったが，東アジア諸国との条約締結をめざす政府の意向により，出発前に特命全権公使に任命されていた(1)。早くから日本に開国をせまっていた欧米諸国はもとより，同じドイツ語圏のプロイセンに比べても遅い来航であるが，1850年代以降外交と戦争で失策を重ね，1867年に二重国家体制への再編を余儀なくされたオーストリアには，それまで極東に外交使節を派遣する余裕がなかったのである。

この遠征隊には，同じオーストリア海軍のノヴァラ号による世界周航にも参加した経験をもつ，内閣参事官カール・フォン・シェルツァー博士も加わっていた。遠征中に彼がつけていた日記の一部が，他の遠征隊員の残した資料や記録とともに，ボン大学名誉教授ペーター・パンツァーの編集によりこのほど刊行され，国交樹立の過程を当事者の証言にもとづき多角的に検証することが可能となった(2)。学生時代にドイツで1848年革命を経験したシェルツァーは自由主義的で，異民族・異人種に対する偏見にとらわれぬ考え方の持ち主であり，1872年に出版された東アジア遠征に関する公式報告書の中でも，「西洋の外交官は，東アジアの人々を対等な，同等の権利を有する人々として扱うことを学ばなければならない」と述べている(3)。

日本到着前からすでに遠征隊は駐日英国公使ハリー・パークスと連絡をとり，条約締結に向けて予備交渉を進めていた。当時英国大使館に勤務していたアレクサンダー・フォン・シーボルト（日本学者フィリップ・フランツ・フォン・シーボルトの長男）の協力もあって交渉は順調に進み，早くも10月18日には，日本とオーストリア＝ハンガリーの間に修好通商航海条約が締結された。この間16日にはペッツが明治天皇に拝謁し信任状を捧呈しているが，その中で皇帝フランツ・ヨーゼフ一世は天皇に対し「最も偉大にして栄光ある日本のミカド，わが最も親愛なる兄弟」と呼びかけている(4)。当時ヨーロッパの君主が非ヨーロッパ地域の君主を「兄弟」と呼ぶのはきわめて異例なことであったが，パンツァー教授によれば多民族帝国の皇帝としては自然であり，この文言にはシェルツァーの見解も反映されていた可能性があるという。この時オーストリアから贈られた献上品の中にはベーゼンドルファーのグランドピアノも含まれていたが，日本側の希望により遠征隊員オイゲン・フォン・ランゾネによる御前演奏が実現し，ヨハン・シュトラウス二世やメンデルスゾーンの作品に明治天皇は熱心に聴き入った(5)。

このように条約締結時の経緯からも，日本とオーストリア＝ハンガリーの間には当初からある種対等で相互的な関係が成立していたこと，そして何よりもまず文化の領域で交流が始まったことは注目される。国内に民族問題を抱え，バルカン半島でロシアと対峙するオーストリア＝ハンガリーには，東アジアでの植民地獲得や勢力圏拡大をめざす余裕はなかった。政治的・軍事的な脅威とはなりえず，経済的にも利害対立の少ないこの大国は，日本にとりヨーロッパ文化の体現者として，純粋な賛美と憧憬の対象となりうる存在だったのかもしれない。オーストリア側でも事情は同様と考えられ，日清戦争期の駐日代理公使ハインリヒ・クーデンホーフが日本を東洋文明の頂点として理想化し，名門貴族の長男でありながら平民の日本人女性と結婚

(1) ペーター・パンツァー（竹内精一／芹沢ユリア訳）『日本オーストリア関係史』（創造社，1984年），20頁。
(2) Peter Pantzer (Hrsg.), *Österreichs erster Handelsdelegierter in Japan. Das Japan-Tagebuch von Karl Ritter von Scherzer 1869*, München, 2019. 本書の刊行を記念し，パンツァー教授による同名の講演が2019年10月16日に，OAGドイツ東洋文化研究協会で開催された。
(3) Pantzer (Hrsg.), *Österreichs erster Handelsdelegierter*, S. 32.
(4) Pantzer (Hrsg.), *Österreichs erster Handelsdelegierter*, S. 193.
(5) Eugen Freiherr von Ransonnet, „Eine feierliche Audienz und ein Clavierconcert am japanishcen Hofe“, Pantzer (Hrsg.), *Österreichs erster Handelsdelegierter*, S. 181. 前述のパンツァー教授による講演に続いて行われた宮田奈々氏の講演 Dr. Nana Miyata, „Ein Klavierkonzert vor dem sechzehnjährigen Tenno Mutsuhito“ も参考にした。

したことは決して偶然ではない。

第一次世界大戦を経てオーストリア＝ハンガリーは崩壊し，中東欧は小国分立の時代を迎える。対照的に日本は帝国主義的拡張と経済大国への道を歩むことになるが，互いの文化的伝統に対する敬愛の念は，150年を経た今日でも変わることなく続いている。どちらの地域にとっても，これまでの道のりは決して平坦なものではなかった。ホロコーストと第二次世界大戦，「鉄のカーテン」に欧州が分断された冷戦期を経て，日本とオーストリア，ハンガリーの両国が当面の平和を享受し，さまざまな記念行事を通じて交流150周年を祝う機会を得ていることを喜びたい。

2 1873年ウィーン万国博覧会と日本（伊藤真実子）

1873年5月1日から11月2日にかけて，皇帝フランツ・ヨーゼフの治世25周年を記念してウィーンで万国博覧会が開催された。23か国が参加，出品部門数は26，会期中の総入場者数は約722万5千人にのぼった。会場のプラーター公園中央には，産業館としてロトゥンデと呼ばれた直径108メートル，高さ84メートルにおよぶ鋳鉄製ドームが建てられた（1937年焼失）。ヨハン・シュトラウス二世はこの頃「ロトゥンデ・カドリーユ」を作曲したが，この曲は2017年のウィーン・フィルハーモニー管弦楽団によるニューイヤーコンサートで演奏されている。

1851年に第一回がロンドンで開かれた万国博覧会は，現在は5年に一度開催される国家イベントである。明治維新後，政府としてはじめて公式参加したウィーン万博は，欧米の最新技術の習得，輸出品の調査，国内の殖産興業の推進，国際社会への日本という国のアピールという参加目的があった。欧米視察中の岩倉使節団も会期中に訪問した。

1872年1月，太政官正院に博覧会事務局が設置され，各府県にウィーン万博への参加と出品が布告されたが，なかなか出品物が集まらなかった。2月末に工部省の佐野常民が正院博覧会事務局御用掛となると，3月に京都（織物・陶器），佐賀（磁器），愛知（磁器・七宝焼）など輸出が見込める地方へ局員を派遣し，出品を要請した。加えて，博覧会事務局附属磁器製造所が10月末に設立され，各地から素焼きの陶磁器が製造所に送られ，欧米の嗜好に合わせて絵付けされた(6)。佐野は佐賀藩代表として1867年のパリ万博に参加しているが，陶磁器が観客の嗜好に合わず大量に売れ残った経験があった(7)。

1867年のパリ万博には幕府も参加し，通訳としてアレクサンダー・フォン・シーボルトが同行した。ウィーン万博の日本の出品物に関するアレクサンダーの助言「金鯱など，大きなもので人目を惹くこと」(8)により，産業館の日本区域入り口には，名古屋城の金鯱と，180センチほどの有田焼の花瓶が置かれた。巨大有田焼花瓶は二点出品され，日本（有田ポーセリンパーク）とトルコ（ドルマバフチェ宮殿）に現在も残る。ウィーン万博には，シーボルト兄弟（アレクサンダーとその弟ハインリヒ）や，オーストリア＝ハンガリー帝国東アジア遠征隊の写真家の助手として1869年秋に来日し，そのまま日本に留まっていたミヒャエル・モーザー（日本物産販売助手）ら，お雇い外国人も派遣された(9)。

日本政府は万博会場内に日本庭園を造営し，日本家屋などを設置した。会期後半，イギリスのアレクサンドラ・パーク社が日本庭園と家屋の購入・移築を申し入れると，半官半民の起立工商会社が設立され，販売などを担った(10)。その後，起立工商会社は万博への出品や輸出工芸品の製作を担い，1877年にはニューヨークに，78年にはパリに支店を開設した。また，輸出工芸品や万博向けの出品物の図案集『温知図録』が，1875年から1881年にかけて博覧会事務局により編纂された。図案担当の一人，納富介次郎（陶磁器専門）は，ウィーン万博事務局御用掛ゴットフリート・ワグネル（ヴァーゲナー）らの提案により，技術伝習のためにこの時ウィーンに派遣された24名の技術者の一人であった(11)。

ウィーン万博後の日本国内では，欧米の最新技術の伝播習得を目的に，勧業博覧会の開催と博物館・商品（物産）陳列館の設置が推進された。商品陳列館は，最新技術の製品を陳列する施設で各府県に建てられた。広島の物産陳列館は，現在「原爆ドーム」として知られている。

内国勧業博覧会は，大久保利通内務卿により推進され第一回が1877年8月に上野公園で開かれ，明治期に5回開かれた。最初の3回は上野公園（1877，1881，1890年）で開かれ，1895年の第四回は京都岡崎で開催された。平安遷都1100年を記念してのもので，現在まで続く「時代まつり」は，この時から始まった。1903年には大阪天王寺で第五回が開催された。この時計画段階では外国を招待して国際的な博覧会にすることが模索されたが実現せず，日露戦勝記念行事としての日本大博覧会（1912年開催予定）

(6) 田中芳男／平山成信編『澳国博覧会参同記要』（森山春雍，1897年〔復刻版：フジミ書房，1998年〕），上篇8-16丁。
(7) 角山幸洋「佐野常民と田中芳男——幕末明治期のある官僚の行動」『関西大学経済論集』，48巻3号（1998年），329-362頁。
(8) 田中／平山編『澳国博覧会参同記要』，上篇16丁。
(9) 田中／平山編『澳国博覧会参同記要』，附録9丁。
(10) 田中／平山編『澳国博覧会参同記要』，上篇46-48丁。
(11) 田中／平山編『澳国博覧会参同記要』，上篇48-50丁。

でも国際化をめざしたが，この博覧会は財政難のため準備段階で中止された。

ウィーン万博参加以降も，日本政府は積極的に万国博覧会に参加し続けた。出品物の選択にあたってはヨーロッパで受容された日本イメージを取入れたが，1890年代には日本らしさがないとして売れなくなり，起立工商会社は廃業する。その後の万博では，黄禍論を払拭するイメージ戦略など，その時々に欧米にある日本イメージを考慮しながら日本像を打ち出していくというやり方が採用され，この方式は現在まで踏襲されている。2018年にフランスで開催された日本政府推進イベント「ジャポニスム2018」の後継事業として企画された「2020日本博」は，2020年に国内各地で「日本博」を開催するというものである。2020年はオリンピックの開会式もあり，様々な場面で政府の推進する日本像が打ち出されていくことになるが，日本の歴史や文化に関してどのような取捨選択がおこなわれるのかが注目される。

3 日本・オーストリア=ハンガリー関係史のひとこま――皇位継承者フランツ・フェルディナントを手がかりに（村上　亮）

オーストリア=ハンガリー帝国の皇位継承者フランツ・フェルディナント大公（1863-1914）は，第一次世界大戦の直接的な契機となったサラエヴォ事件の犠牲者である。しかし1869年の日墺修好通商航海条約に始まる，日本とオーストリアの交流史に占める彼の役割は十分に知られていない。1893年8月，大公は世界旅行の途上で日本に滞在し，各地を旅行する一方，皇族と面会するなど国賓級の待遇を受け，大勲位菊花章を授与されている(12)。大公の目に映じた日本のありようは，彼による旅行日記に見てとれる。その内容は，彼の家庭教師ヴラディミール・ベックによる校訂や修正が施されているものの，外国人ならではの相対的に冷静かつ客観的な視線を看取できる(13)。本節は，日墺関係史のなかにフランツ・フェルディナントの訪日を位置づけるとともに，日本側の準備作業や大公の眼差しの特徴を浮き彫りにすることを目指したものである。

フランツ・フェルディナントの世界旅行は，ハプスブルク家の皇太子による海外旅行の伝統に位置づけられるという(14)。公式の目的は学術調査とされ，その行程は約33,000キロに達する(15)。世界旅行の動機については，日記の冒頭に異国の国制，文化や風俗についての知見を得ること，見知らぬ土地の芸術や自然の魅力を体験することが記される。君主フランツ・ヨーゼフの意向とされる航海訓練の実施，学術研究への貢献，遠隔地におけるハプスブルク帝国の威信増大，通商上の権益確保などもここに含めるべきだろう。

フランツ・フェルディナントは，当時ハプスブルク海軍において最新鋭の水雷巡洋艦「カイゼリン・エリーザベト」に乗艦し，1892年12月15日にトリエステを出港，ボンベイ，カルカッタ，シンガポール，香港などを経て1893年8月2日に来日した。日本での旅程は長崎→熊本→下関→宮島→京都→大阪→奈良→大津→岐阜→名古屋→宮ノ下→東京→日光→横浜であり，8月25日にバンクーバーに向けて出発した。大公の来日に際して日本側が軍艦の礼砲の手続きから随員の出迎え，発着時の礼式や服装にいたるまで，綿密な準備をしていたことが当時の文書からうかがえる(16)。

フランツ・フェルディナントの日記にまず見てとれるのは，日本側が大公一行の動きに常に目を光らせていた事実である。大公自身，再三にわたり警護の目をかいくぐろうとしたが，ほとんど成功していない。日本側の対応の背景には，大公自身が看破していたように大津事件（1891年5月）が再発することへの懸念があった。訪日中の大公の動静を伝える報告書には警備体制のみならず，国旗掲揚の方法，歓迎式典の会場における調度品の配置や料理の内容に至るまで細心の注意が浮かびあがる。

大公の視点の特徴については，次の四点をあげておこう。第一は，日本の芸術，技術への比較的高い評価である。とくに工芸の水準を称賛する一方，海外からの旅行者を意識した営利目的の商売には否定的な見方を示す。第二は，熊本や東京で目にした日本の軍隊に関する鋭い洞察である。これは大公自身の軍隊経験ゆえと推察できるが，日本の軍隊に対しては総じて及第点を与えている。第三は，日本における西洋文化受容のあり方への批判である。衣服については「これといって特徴のない洋服によって和服が駆逐されるのを嘆かずにはいられない」と書きつけている。京都で煙を吐き出す工場を目にした時も否定的な感情を隠していない。第四は，日本を「アジア的神権政治と専制政治を脱却した」状態にある「文明国」と位置づけたこ

(12) 大公の叙勲については，アジア歴史資料センターの史料で確認できる。JACAR（アジア歴史資料センター）「澳国フランツ，フェルヂナンド親王殿下ヘ大勲位菊花大綬章御贈進可相成ニ付賞勲局総裁ヘ訓令案ノ件」，Ref.A10112426600，叙勲裁可書・明治二十六年・叙勲巻二・外人叙勲（国立公文書館）。
(13) 大公の日記の原典は以下の通り。Franz Ferdinand, *Tagebuch meiner Reise um die Erde: 1892-1893*, 2 Bände, Wien, 1895.
(14) Justin Stagl, „Einleitung“, Stagl (Hrsg.), *Ein Erzherzog reist: Beiträge zur Weltreise Franz Ferdinands*, Salzburg, 2001, S. 4.
(15) Alma Hannig, *Franz Ferdinand. Die Biografie*, Wien, 2013, S. 34.
(16) 一例として以下を参照。JACAR「澳国親王殿下御来航の件」，Ref.C03030799200，壹大日記，明治26年8月（防衛省防衛研究所）。

とである。とくに大公は東アジアにおける日本の存在意義を見抜くとともに，「深刻な内乱を克服し，大変革をなし遂げた手腕と決断力」をもつ明治天皇に惜しみない賛辞を送っている(17)。

フランツ・フェルディナントの訪日は「最大の成果をあげた儀礼的国家訪問」(18)と指摘されるように，全体としては日墺関係の強化に一定の貢献を果たした。さらに日本側にとっては彼が無事に離日した事実そのものが重要であったといえる。なお収集家として知られていた大公が日本で買い集めたコレクションは，動物を含む自然科学，美学，民俗学などの広範囲に及ぶ。その一部は両大戦間期にオーストリア政府によって売却されたものの，当初の目録に登録された物品4227点のうち1885点が現存するという(19)。実際にわれわれは，ウィーンの世界民族博物館で膨大な収集物の一部を目にすることができる。ここでは燭台や鉄瓶，鍋島皿，うちわなどの生活用品から太鼓や能面などの芸術関係の品々，甲冑，刀剣やその鍔，弓矢や銃器などが展示されている。彼の来日は両国関係に確かな足跡を刻み，その痕跡は今日まで残り続けている。

4 海軍を通じた日本とオーストリア=ハンガリー帝国の交流（大井知範）

日本とオーストリア=ハンガリー帝国の関係は，1869年の国交樹立に始まり1918年に終わりを迎えた。このおよそ半世紀の間，両者の間には政治や経済の面で深いつながりは見られなかったものの，学術や音楽，文化の面でさまざまな交流が生まれた(20)。

この時期の日本とオーストリア=ハンガリー帝国の関係史には，しかしまだまだ解き明かされていない諸相が積み残されている。たとえば，両国が外交関係を持った45年間，オーストリア海軍の軍艦がほぼ毎年日本各地の港を訪れていたが，その史実についてはあまり知られていない(21)。また，1914年夏に一隻の軍艦が「たまたま」「偶然」「不運にも」ドイツ領膠州湾に碇泊していたため，オーストリア=ハンガリー帝国は日独間の戦争に巻き込まれたと解釈されてきた。しかしながら，真相は本当にそれほど単純なものであったのであろうか。国交樹立から150周年を迎えた節目のいま，海軍を介した関係性という点から日墺関係の歴史を見つめ直してみたい。また，両国の関係にドイツという外部アクターが果たした役割と意味も併せて考えてみたい。

19世紀の半ば，オーストリア=ハンガリー帝国の海軍は近代化改革と外洋海軍化を推し進め，ちょうど同じ頃，東アジア諸国との国交樹立が実現した。この東アジアという遠隔の地において，オーストリア=ハンガリーは列国と同じ権利を確保し「大国」としての体裁を保つため，軍艦を定期的に現地へ送ることになる(22)。さらには，士官候補生の練習航海，通商情報の収集，学術品の収集などが任務として付与されたことで，軍艦の派遣という行動のなかに，海軍の拡張，商業の発展，学術振興といった多様な意味づけが付与されたのである(23)。

では，植民地や商社のネットワークを持たないオーストリア=ハンガリーは，どのようにして東アジアで軍艦を活動させることができたのであろうか。帝国主義時代の東アジアでは，自由貿易体制のもと，相手の国籍に関わらず列国の商社や造船所がインフラと物資（石炭，食料，水など）を他国の軍艦に提供していた。また，そこでは日本の港湾も重要な役割を果たしていた(24)。こうした背景のもと，19世紀末以降にオーストリア海軍の東アジア常駐体制は強化され，現地にとどまる軍艦が日本と多くの接点を持つことになったのである。

とはいえ，オーストリア=ハンガリー帝国の軍艦が日本を訪れた目的は，単に物資の補給や造船所での補修にとどまらない。日本に暮らす居留民や外交官と接触・交流したほか，日本の海軍上層部や政府当局者との友好促進，各種の情報収集なども重要な目的とされていた。しかし，残された史料からは，それ以上に幅広い活動の実態が見えてくる。つまり，寄港地のリストには，横浜，神戸，長崎といった国際港だけでなく，鹿児島，別府，三津浜，四日

(17) この箇所については，原典を参照しつつ大公の日記の訳本を用いた。フランツ・フェルディナント（安藤勉訳）『オーストリア皇太子の日本日記――明治二十六年夏の記録』（講談社，2005年）。

(18) パンツァー『日本オーストリア関係史』，89頁。

(19) Alfred Janata, „Die Japan-Sammlungen des Museums für Völkerkunde in Wien“, Josef Kreiner (Hrsg.), *Japanforschung in Österreich*, Wien, 1976, S. 218.

(20) パンツァー『日本オーストリア関係史』，93–109頁。

(21) Peter Pantzer, „Mit der k. u. k. Kriegsmarine zu Besuch im Japanischen Kaiserreich. Vom Beginn der Beziehungen 1869 bis zum Untergang der Donaumonarchie“, *Viribus Unitis, Jahresbericht des Heeresgeschichtlichen Museums 2012*, Wien, 2013, S. 45-72.

(22) Wilhelm Donko, *Österreichs Kriegsmarine in Fernost. Alle Fahrten von Schiffen der k.(u.)k. Kriegsmarine nach Ostasien, Australien und Ozeanien von 1820 bis 1914*, Berlin, 2013, S. 430-437.

(23) 大井知範『世界とつながるハプスブルク帝国――海軍・科学・植民地主義の連動』（彩流社，2016年），168–171頁。

(24) 大井知範「越境する海軍と20世紀初頭の帝国秩序――ドイツ海軍から見た東アジアの共存体制」『国際政治』第191号（2018年），9–53頁。

市，鳥羽など地方港の名前も頻繁に見られ，県知事，市長，警察署長，港湾管理責任者らと繰り返し対面した事実が明らかになる。さらには，これら地方都市の住民や学童を数千人規模で艦内に招くなど，オーストリア＝ハンガリー海軍と日本の民間人の間で活発な交流行事も催されていた。一方で，寄港地に上陸したオーストリア＝ハンガリーの兵士たちは，名所旧跡を集団でめぐったり，登山，ハイキング，湯治，サッカーなどの運動や遊興，柔術のイベントを見学したりするなど，異文化理解や心身の鍛錬・保養にも努めていた(25)。

こうした日本各地の訪問は毎年のように繰り返され，1914年の3月上旬から5月上旬にかけても巡洋艦「カイゼリン・エリーザベト」が西日本の諸港をめぐっていた。同艦は，この年の夏に再度日本を訪問する予定になっていたが，7月末に生じた欧州情勢の緊迫化と青島急行指令にともない計画は中止となった。ここで重要なのは，その間，つまり巡洋艦「カイゼリン・エリーザベト」が東アジアに着任して1年近くの間，同艦はドイツの拠点である青島を一度も寄港対象としていない事実である(26)。つまり，オーストリア＝ハンガリーの東アジア常駐海軍は，ドイツの植民地を母港にしていたわけでも，常日頃から現地のドイツ海軍と行動を共にしていたわけでもなかった。当時の東アジア条約体制，とくに中国に対する帝国主義列強の協調体制のなかで，オーストリア＝ハンガリーは同盟国ドイツとの関係に縛られず自立したアクターとして振舞っており，ゆえに日墺の友好関係を支える使節として自由に活躍できたのである。

しかし同年6月のサラエヴォ事件をきっかけとする第一次世界大戦の勃発，そして8月末に発せられたドイツ皇帝の共闘要請により，緩やかな結びつきであった東アジアの独墺同盟は，突如として一蓮托生の強固な軍事同盟へと豹変した。その結果，日墺両国の間に利害対立や感情的な齟齬はなかったにも関わらず，二国間関係は断絶の方向へと流されていくのであった。

(25) Österreichisches Staatsarchiv, Kriegsarchiv, MS/OK.

(26) Peter Pantzer/ Nana Miyata (Hrsg.), *Mit der S.M.S. Kaiserin Elisabeth in Ostasien. Das Tagebuch eines Unteroffiziers der k. u. k. Kriegsmarine (1913-1920)*, Wien, 2019, S. 371-372.

『アフリカ眠り病とドイツ植民地主義——熱帯医学による感染症制圧の夢と現実』［磯部裕幸 著］

（みすず書房，2018 年）

梅原秀元

ドイツの医学史研究は医学部医学史学科を中心に，長い間，医学者の生涯や医学の成功をなぞるような研究が目立った。1980 年代以降，哲学部歴史学科の歴史研究者——本書でいう「普通の歴史家」——が医学・医療をテーマに研究するようになるとともに，医学史学科でも社会史の影響を受けた研究者が出てきた。1990 年代以降になると，医学史学科では，医学部出身の医学史研究者と普通の歴史家がともに研究を行うようになり，21 世紀の現在では，ドイツの医学史研究は，医学・自然科学・人文社会科学が重なり合う学際的な研究の一翼を担っていて，領域横断的に研究が進められている。そうした中でドイツの植民地医療も，本書で紹介されているヴォルフガング・エッカートの研究(1)をはじめ，ドイツ領東アフリカにおける医療衛生について，原住民の医術とドイツがもたらした西洋医学双方に目配りし，文化研究や民俗学の分析視角も取り入れたヴァルター・ブルフハウゼンによる研究(2)が出るなど，少なからず関心が集まっている領域である。

こうしたドイツでの研究状況の中で，著者は，前世紀の初めに，ドイツのアフリカ植民地において，その統治と経営にとって大きな障害となるとともに，当時の医学研究にとっても非常に興味深い病気の一つの眠り病について，ドイツ連邦文書館所蔵の未刊行史料と格闘しながら，詳細な調査を行い，ドイツにおいてドイツ語で博士論文としてまとめ，その後出版した(3)。

本書は，この博士論文を大幅に加筆修正した後，日本語で出版されたものである。著者は，本書で眠り病を例に，ドイツの熱帯医学とそのアフリカでの実践について明らかにすることを通じて，ドイツのアフリカ植民地の統治と経営が実際にどのようなものであったのかを議論しようとしている。

日本における欧米や日本の植民地医療の歴史研究では，イギリスの植民地(4)や日本を含むアジア(5)を対象としたものが目立ち，ドイツの植民地医療についての日本語による歴史研究として本書は貴重である。ドイツの植民地史研究でも，永原陽子氏のドイツ領西南アフリカ（現在のナミビア）についての研究(6)や，浅田進史氏による中国のチンタオについての研究(7)があるが，依然として研究蓄積が少ない領域であり，本書の価値は高い。

以下では，まず本書の内容を概観し，次に評者が本書についてコメントしたい。

本書は，序章と本論と結びからなる本文と，あとがき，詳細な注記と膨大な参考文献目録からなる。この参考文献目録は，この領域をこれから研究しようとする者にとって非常に有益である。

（1）Wolfgang U. Eckart, *Medizin und Kolonialimperialismus Deutschland 1884-1945*, Paderborn: Schöningh Verlag, 1997.

（2）Walter Bruchhausen, *Medizin zwischen den Welten. Vergangenheit und Gegenwart des medizinischen Pluralismus im südöstlichen Tansania*, Göttingen: Vandenhoeck & Ruprecht, 2006.

（3）Hiroyuki Isobe, *Medizin und Kolonialgesellschaft. Die Bekämpfung der Schlafkrankheit in den deutschen „Schutzgebieten" vor dem Ersten Weltkrieg*, Münster: Lit Verlag, 2009.

（4）デイヴィッド・アーノルド（見市雅俊訳）『身体の植民地化—— 19 世紀インドの国家医療と流行病』（みすず書房，2019 年）。脇村孝平『飢饉・疫病・植民地統治——開発の中の英領インド』（名古屋大学出版会，2002 年）；見市雅俊／斎藤修／脇村孝平／飯島渉編『疾病・開発・帝国医療——アジアにおける病気と医療の歴史学』（東京大学出版会，2001 年）。

（5）一例として，永島剛／市川智生／飯島渉編『衛生と近代——ペスト流行に見る東アジアの統治・医療・社会』（法政大学出版局，2017 年）。

（6）永原陽子「20 世紀初頭西南アフリカにおける二つの植民地主義——『ブルーブック論争』から」井野瀬久美惠／北川勝彦編『アフリカと帝国——コロニアリズム研究の新思考にむけて』（晃洋書房，2011 年），252–274 頁；永原陽子「ナミビアの植民地戦争と『植民地責任』——ヘレロによる補償要求をめぐって」永原陽子編『「植民地責任」論』（青木書店，2009 年），218–248 頁。

（7）浅田進史『ドイツ統治下の青島——経済的自由主義と植民地社会秩序』（東京大学出版会，2011 年）。

序章では，本書の対象となるドイツのアフリカ植民地と，風土病である眠り病について説明している。著者は，まず，本来「原住民の福祉」のために行われていたドイツによる植民地開発が，眠り病の拡大と被害を深刻化させたことを指摘し，ドイツの熱帯医学・医療は眠り病を制圧することができなかったとする。このことから，著者は，眠り病の歴史は，熱帯医学・医療の挫折の歴史であり，「原住民の福祉」増大の歴史ではないとする。その上で，(1) 眠り病対策には治療・予防のための対策にはいくつかの選択肢があり，どの対策をどのように組み合わせるかは，個々の植民地が置かれた状況を反映すること，(2) 眠り病が「原住民」の病気であったため，眠り病対策は植民地支配を良く表していること，(3) 第一次世界大戦後，眠り病対策がドイツの植民地政策を象徴するものとなって他の負の側面がドイツの歴史からも記憶からも消えていったこと，これら三点から眠り病の歴史研究の意義を主張している。さらに，著者は，従来の研究が医学研究や理論に重点があり，治療や予防といった実践――医療――にあまり重点を置いていなかったことを批判し，植民地医療――ここでは眠り病対策――を「政策」としてとらえ，実施のされ方の類似・違いを明らかにすることで，個々の植民地社会の特質を描こうとしている。さらに，著者は，本書が，「熱帯医学」の政治性を明らかにし，帝国医療論を実際の事例によって検証することにもつながるとしている。

次に，本論に移る。本論は八つの章からなり，第一章では，まず，眠り病対策の三つの方法が紹介される。(1) 中間宿主のツェツェバエの駆除，具体的には生息地の徹底的な除草伐採，(2) ツェツェバエと非感染者の接触の物理的除去で，集落の移転やヒトとモノの往来の遮断，(3) 感染者の病院や収容所への隔離と薬剤治療だった。三つの方法のどれをどう組み合わせて有効な眠り病対策を行うかをめぐる植民地宗主国間の協調は不調に終わった。さらに，当時世界的な細菌学者であったロベルト・コッホが，独領東アフリカでの眠り病調査（1906年）後，眠り病対策に何の決定打も出せなかったことを本書は強調する。これによって，コッホは薬物治療偏重だったという従来の説が虚像であることが示されるとともに，コッホはむしろその限界を前に，前述の (1) や (2) の方策にシフトしていたことが明らかにされている。さらに，これらの方策はドイツの植民地当局の統治が原住民の生活にまで貫徹していることを前提としていて，実際には，ドイツによる統治は貫徹していなかったので，失敗を運命づけられていたとされている。

第二章から第七章は，眠り病が問題となった三つの植民地――東アフリカ，トーゴ，カメルーン――に二章ずつ当て，それぞれの地域における眠り病対策とその特徴が素描されている。

第二・三章で取り上げられている東アフリカでは，感染者や発病者の収容所への隔離と収容所での砒素を含むアトキシルなどを用いた集中的な薬剤治療が行われたが，原住民の自由な経済活動を阻害し不安を煽ることを恐れた植民地当局の協力を得られなかった。さらに，パウル・エールリヒの新薬も不調に終わった。薬剤治療の不調が明らかになって，ツェツェバエ撲滅のための大規模な除草作業に対策の重点が移ったが，そのための人員を，原住民の反対などもあって，動員することができなかったこと，結局は植民地という辺境の中のさらに辺境の地域の問題だったので解決が後回しになり，対策が不徹底に終わったことが述べられている。

第四・五章で取り上げられているトーゴでも，東アフリカ同様，ドイツの植民地統治のあり方が眠り病対策を決定していた。トーゴは常駐する医師の数が少なく，東アフリカよりも支配が脆弱で原住民の生活にまで貫徹していなかった。そのため，多くの原住民の動員を要する除草伐採作業はできなかった。トーゴのドイツ人医師たちはより動員が少なくて済む，収容所への隔離と薬剤治療の徹底へと舵を切り，ドイツ本国での新薬開発のために，人体実験まがいの治療まで行われるようになっていた。

第六・七章のカメルーンはトーゴと同じアフリカ西部に位置し，トーゴよりも広大な領域を持っていて，内陸部に眠り病地域を抱えていた。1910年の第二次モロッコ事件後フランスから割譲されたノイ・カメルーンでも眠り病が広がっていて，カメルーンは広大な眠り病地域を抱え込むことになった。しかし，割譲以前から医師が不足し，統一的な眠り病対策は実施されていなかったことに加え，ノイ・カメルーンは統治機構そのものが完備せず，有効な眠り病対策の実施は困難だった。そうした条件下では，大量の人員を必要とするツェツェバエ駆除のための除草伐採は不可能だった。収容所の状況が劣悪で，収容と薬剤治療への原住民からの信頼も得られず，収容所への患者の収容と治療も難しかった。さらに，ドイツ人医師が極端に不足しかつ膨大な業務があったため，徹底した眠り病対策遂行は難しかった。そのため，対策は外来診療でのアトキシルによる薬剤治療だけに頼ることになった。地域によっては，検査もせずに投与したり，予防と称して砒素を含有するアトキシルを多くの人に投与したり，複数の薬剤を「実験的に」投与するといったことまで行われていた。結果，カメルーンにおける眠り病対策の現場では，薬剤をはじめとする西欧文明によって病気を治そうとするドイツ人医師と，薬剤による副作用などで文明がもたらす極限の苦しみを訴える原住民とが対峙し，前者が後者を非文明の頑迷な人々という差別的な眼差しでとらえていた。カメルーンにおける眠り病対策の現場の光景に，植民地支配が抱える差別と支配の構図が端的に現れたことを本書は明らかにしている。

著者は，三つの植民地での対策を丹念に描いて比較し，共通点として，植民地（辺境）の現場の状態と，ドイツ本国（中央）の辺境への無関心があり，有効な対策を打ち出せなかったことを明らかにしている。さらに植民地でも，統治が脆弱で原住民を支配できておらず，統治機構内でも，眠り病対策の意義が医師と彼ら以外の現地の官僚との間で必ずしも共有されなかったことが，有効な対策を講じることができなかった背景であることも明らかにされている。

第八章は，第一次世界大戦敗戦から第二次世界大戦終結までの時期，すなわち，アフリカの植民地を失った後の時期のドイツの眠り病研究に焦点を合わせている。植民地を失ったことで，ドイツの熱帯医学は支配のツールという縛りがなくなり，ドイツの眠り病研究は医学研究へとより専門特化した。そして，研究の成果として，特効薬「バイエル205」が1916年に開発され，ドイツの「良き植民地統治」を象徴するかのような「ゲルマーニン」という名前で1924年に商品化された。さらにナチス期には，「良い時代」を象徴するものとして熱帯医学の成功の物語が『ゲルマーニン』として映画化され，ナチスドイツのプロパガンダに利用された。

終章では，本論の内容を要約した後，20世紀のドイツにおいて，第一次世界大戦後に「植民地統治の現実」が，第二次世界大戦後には，ドイツがそもそも植民地を持っていたこと自体が忘れ去られ，植民地所有とその支配という過去が，戦後のドイツ連邦共和国の記憶文化の中に居場所を失ったことが述べられている。さらに，眠り病も，世界的な視野で見ても，アフリカに限定された問題として矮小化され，21世紀においても，過小評価され続けていることに警鐘を鳴らしている。

このように本書は，19世紀後半から20世紀前半のドイツによる眠り病とその対策に集中的に取り組み，植民地医学・医療の中から植民地支配の本質をとらえる力作であり，研究書としての価値は非常に高い。

次に，いくつか気が付いた点をコメントしたい。

本書は，眠り病と医学・医療に焦点が絞られ，叙述もこれらを中心に進められている。しかし，そのことで，本書の重要なテーマであるドイツの植民地統治・経営が，眠り病の陰に隠れている印象を読者に与える。読者に本書をより深く理解してもらうためには，ドイツの植民地統治・経営についての基本的な概観――ドイツの植民地の統治機構は本国と植民地とでどのようなものだったのかなど――と，ドイツのアフリカ植民地における医療衛生に関する概観――医療衛生行政の組織や人員，医師一人が担当した領域と原住民の人数，植民地の医師の任務の内容，眠り病の他に重要な病気など――とを提示する章が，眠り病についての本論の前にあった方がよかったのではないだろうか。これによって，読者は，ドイツの植民地統治・経営と植民地の医学・医療についての全体的な見取り図を得ることができる。この見取り図を参照しながら，読者は，個別事象である眠り病について読み進め，本書をより深く理解できるのではないだろうか。

第二に，著者は戦後のドイツ連邦共和国では，医療を含む植民地支配そのものが忘れられたことを強調している。しかし近年の研究では，1960年代の西ドイツ医学界が，海外援助や国際人道支援の枠組の下で医療支援・援助を名目に，アフリカの旧ドイツ植民地の国・地域の医療に食い込み，西ドイツ医学界のために利用していたことが明らかになっている(8)。このことは，西ドイツの医学界では，戦後も植民地統治の過去が忘れられていなかったことを示唆し，本書の「忘却」のテーゼの再検討を迫っている。

第三に，著者は，ヴォルフガング・エッカートらの先行研究を，細菌学と薬物療法の成否という医学的問題関心が中心にあるために，眠り病の歴史研究がもつ広がりをとらえきれていないとし，その理由を彼らが専門の医学教育を受けた「医学史研究家」であることに求めている。そして，彼らの研究が持つ欠点に縛られない歴史研究者――普通の歴史家――として著者自らも区別している。確かにエッカートは，専門の医学教育を受けているが，1990年代以降のドイツの新しい医学史研究の中心的な研究者の一人であり，著者が言うような医学的問題だけを考えるような視野の狭い「医学史研究家」ではない(9)。2018年出版の本書において，ドイツの医学史研究や研究者を，あたかも一般の歴史研究や研究者と別の存在のように扱う著者の見解は，開かれた学際研究を展開する21世紀のドイツの医学史研究の実態にそぐわないものである。

第四に，本書は，特に，エッカートの研究を補完する役割を果たしている。エッカートの研究も，ドイツの医学・医療と植民地支配・統合との関係を明らかにしようとしている。その目的のために，エッカートは，ドイツの一つ一つの植民地における医学・医療と植民地統治・経営との関係を概観した後に，全体としてどのような関係があったのかを議論しようとしている。従って，眠り病という特定の

(8) Carola Rensch/ Walter Bruchhausen, “Medical Science Meets ‘Development Aid’ : Transfer an Adaption of Western Germany Microbiology to Togo, 1960-1980”, *Medical History*, Vol. 61, Issue 1, 2017, pp. 1-24.

(9) エッカートの研究歴，研究業績については，彼が長年学科長を務めてきたハイデルベルク大学医学部医学史学科の以下のサイトを参照のこと。http://www.medizinische-fakultaet-hd.uni-heidelberg.de/Wolfgang_U_Eckart.111104.0.html（2019年9月30日閲覧）

病気だけについて詳細かつ包括的な叙述を行うことを，エッカートの研究はそもそも意図していない。個別の病気について深く掘り下げるという，エッカートとは別の方法で，医学と植民地支配との関係を明らかにした本書は，エッカートの研究を補完し，共に読まれることで，植民地支配と医学についての私たちの理解を一層深めるだろう。

日本語では，学術研究の側面を持つ医学と実践としての側面の医療という二つの言葉がしばしば使い分けられる。これに対して，ドイツ語では Medizin（英語の medicine）の一語に両方の意味を含めている。このことは，研究により知識を蓄えることと，その知識を治療や予防の実践に利用することの二つがあってはじめて Medizin が成立することを示しているのではないだろうか(10)。本書は，眠り病そのものについての研究およびそれに基づく治療薬の研究——医学の側面——と，そうした研究に基づく眠り病対策の実際——医療の側面——を例に，植民地においてドイツの Mediziner（医学者，医師）が，何を考え，考えたことを実行できたのかどうか，Medizin が植民地統治・経営にどのような意義を持ったのかを明らかにする，優れた歴史研究であり，優れた医学史研究である。

(10) Vgl. Alfons Labisch, „Die säkularen Umbrüche der Lebens- und Wissenschaftswelten und die Medizin: Ärztliches Handeln im 21. Jahrhundert“, *Düsseldorfer Jahrbuch*, Jg. 2008/2009, 2010, S. 161-170.

書評

『政治教育の模索——オーストリアの経験から』［近藤孝弘 著］

（名古屋大学出版会，2018 年）

伊藤実歩子

1 道徳教育と政治教育——日本の現状

周知のとおり，日本では 2015 年に公職選挙法が改正され，翌 16 年の参議院議員選挙から選挙権年齢が 18 歳に引き下げられた。当時，高校 3 年生の一部にも選挙権があるということで，にわかに政治教育がメディアでも注目され，高校生に対して，選挙に行くか，だれに投票するか，それはどうやって決めたかなどをインタビューしたものが報道された。そういった中で，模擬選挙の実践を行っている学校の授業が紹介されたりもした。しかし，現在ではそうした実践のその後を聞くこともなく，すでに 4 年がたとうとしている。

他方，その後，学習指導要領において 18 歳選挙権引き下げも含めた政治教育に関連する内容がかなり変更されたのだが，それについてはあまり知られていない。2015 年，小・中学校の学習指導要領の一部改訂が発表され，これまで「特設　道徳」として教科ではなく領域として教育課程上に位置づけられてきた道徳教育が，「特別な教科　道徳」として教科に位置づけられた。この教科としての道徳は，2018 年の学習指導要領改訂においてアクティブラーニングによる「考え，議論する道徳」を目指すとされた[(1)]。道徳が教科として位置づけられるということは政治的にも大きな意味を持つが，それについてここで触れる余裕はない。一方，教育実践上では，これまでのような副教材としての読み物教材ではなく，検定教科書を中心的な教材として使用すること，また子どもたちへの評価を伴うことを意味しており，現場では戸惑いが広がった[(2)]。

続いて 2018 年には高等学校の学習指導要領も改訂され，公民の新科目として，「公共」が必修化されることになった。「公共」のなかでは，社会に参画する自立した主体となるための主権者教育を模擬裁判や模擬選挙などを通して行うなど，政治教育の手法についても触れられている[(3)]。ただし，その主眼は，必修となった「公共」（および既存の「倫理」と特別活動）が，高等教育の道徳教育の中核となることにあるという見方もある[(4)]。つまり，これまでは「現代社会」または「倫理」「政治経済」が必修であり，教育課程全体を通して道徳を涵養することとされていたが，「現代社会」に代わる「公共」が必修化されることは，小中学校での道徳の教科化の延長線上にあり，教育課程上において一貫して道徳教育の強化が行われたものだとみることもできる。

このように，日本においては，選挙権の 18 歳引き下げなど高校生に関わる政治的重要事項の変更があっても，それが「政治教育」の理論や実践の検討には至らず，なぜか道徳教育の強化につながってしまう。「政治」を語ること，ひいては「政治教育」を学校（あるいは社会全体）で行うことに消極的なのである。近藤自身も，本書の刊行にあたってのインタビューで，「日本は選挙権年齢を引き下げながら，政治教育を放置し，道徳教育に社会秩序の維持を期待しています。道徳で民主主義社会は作れません。必要なのは政治教育ではないでしょうか」と述べている[(5)]。この「政治教育を放置」している現状の一つが，先述の学習指導要領改訂にあることは言うまでもない。

さて，前書きが長くなってしまったが，本書『政治教育の模索——オーストリアの経験から』は，オーストリアにおける政治教育を，19 世紀半ばからの歴史的概観から始

（1）http://www.mext.go.jp/b_menu/shingi/chukyo/chukyo3/078/siryo/__icsFiles/afieldfile/2016/09/15/1377233_3.pdf（2019 年 8 月 19 日閲覧）
（2）ただし，この「特別な教科　道徳」は評点をつけずに，記述による「励まし，伸ばす」評価を行うとされている。http://www.mext.go.jp/component/a_menu/education/detail/__icsFiles/afieldfile/2017/05/25/1379579_001.pdf（2019 年 8 月 19 日閲覧）
（3）http://www.mext.go.jp/b_menu/shingi/chukyo/chukyo3/062/siryo/__icsFiles/afieldfile/2016/08/01/1373833_12.pdf（2019 年 8 月 19 日閲覧）
（4）http://www.nhk.or.jp/kaisetsu-blog/100/290507.html（2019 年 8 月 19 日閲覧）
（5）https://book.asahi.com/article/11839132（2019 年 8 月 19 日閲覧）

まり現在の政策から実践（授業・教材・学校・教員・生徒といった教育実践に関わるエージェントを包括的に）にいたるまで詳細に検討したものである。上述のような問題意識に立つとき，本書はとりわけ後者の点でも非常に示唆に富んでいる。本誌の読者はドイツ語圏のスペシャリストであるので，オーストリアの歴史学や政治学における本書の意義をここで述べるのには釈迦に説法であるし，また何よりもわたしの力量不足がある。そこで，以下では，教育学の領域から本書の特色をいくつか指摘してみたい。

2 比較教育学研究および教育内容・政策研究としての本書の特色

近藤はこれまで主な単著として『ドイツ現代史と国際教科書改善――ポスト国民国家の歴史意識』（名古屋大学出版会，1993年），『国際歴史教科書対話』（中央公論社，1998年），『自国史の行方――オーストリアの歴史政策』（名古屋大学出版会，2001年），『ドイツの政治教育――成熟した民主社会への課題』（岩波書店，2005年）を刊行している。これらに見られるように，近藤はドイツ・オーストリアの歴史教育，政治教育に関する研究を一貫して行ってきた。このような研究は，教育学のなかでは比較教育学に，またその中でも「数少ない」教育内容・政策研究として位置づけられる(6)。

2.1 比較教育学研究としての本書の特色

近藤は別の論考で，日本の比較教育学がこれまで指摘され続けてきた学問上の問題を二点あげている。第一に多くの比較教育学研究が，日本とさえも比較しない一国研究にとどまっていること，第二に欧米先進国に教育の模範を見ていること，である。そして，第二の点は近年改善されてきてはいるものの，第一の点においてはいまだ問題が残ると指摘した(7)。では，こうした問題は本書ではどのように乗り越えられているだろうか。

本書は，オーストリアの政治教育を，たびたびドイツと比較することによって相対化している。本書の冒頭でも言及されているように，オーストリアの政治教育は，先行したドイツの影響を強く受けているので，ドイツと比較することは当然の流れだと思われるかもしれない。加えて，ドイツとオーストリアは同じドイツ語圏であり，周知のとおり，教育制度や文化も類似的な部分が大きいので，比較も容易だろうと思われるかもしれない。しかしながら，実は教育研究においてこの作業は当然でも容易でもない。ドイツは教育政策については州に立法権があり，州ごとに教育制度や教育内容が大きく異なる。そのため，教育に関してはドイツ全体の動向を押さえることがこれまでは困難とされ，ある一つの州に限定した研究が多くを占めてきた。一方，オーストリアは小国ゆえに連邦制ではあっても教育政策に関しては比較的中央集権的に進められるという特徴があるものの，想定される読者数は非常に少ないと言わざるを得ない。本書は，そうしたドイツとオーストリアの教育研究の特殊性を認識した上に成り立っている。そのうえで，政治教育に取り組もうとしない日本には，ドイツに範を求めてきたオーストリアの政治教育の学習過程の展開がより参考になるとした。こうした点で，本書は，比較教育学の「比較しない」問題を解消している。また第二の点，欧米に教育の範を求めることについても，「借り物だから好ましくないということはない。重要なのは，それが機能するかどうか」だとして，日本にとって範となるのは，ドイツではなく，むしろ半歩先を行くオーストリアだとした（本書，はじめに）。加えて，本書はオーストリア・ドイツ・日本という三カ国の並列的な比較研究ではない。これは政治教育，歴史教育，ドイツ語圏の現代史といった教育学を越境する近藤の継続的な研究によって可能となっていることは言うまでもない。

2.2 教育内容・政策研究としての本書の特色

先述したように，教育内容・政策の研究がその範疇とするところは，カリキュラム・教科書を含む教材・教員養成（研修）・指導方法などがある。こういった内容を研究する理由の一つには，何かよい理論や方法があれば日本の教育にも導入することができないかという目的がある。先の「比較」にもそのような意図がある。本書では，第3章から第5章がそれに相当する。ただし，本書は，あるいは本書に限らず，近藤の一連の著作や論文は，ドイツ語圏の歴史教育，政治教育から具体的な内容や方法を単純に「良いもの」として取り入れようとはしない。そうした意図で本書を読むことはお勧めできない。

とはいえ，海外の教育内容・政策を研究対象にすると，現場の教員からは，その理論や方法はどのように有効かと問われる。政治教育であれば，「授業での政治的中立性はどのように保てるのか」であるとか，「『先生はどこの政党に投票するのか』と生徒に問われた場合，どう答えればいいか」といった問いが必ずある。政治教育の進歩的な事例を示すと必ず，教師の負担を増やさずにできるか，普通の学校，学力的に「しんどい」生徒にもできるかといった問

（6）近藤孝弘「比較教育学における教育内容・政策研究――日本における現状と課題」山田肖子／森下稔編著『比較教育学の地平を拓く――多様な学問観と知の共働』（東信堂，2013年），258-270頁。

（7）同上。

いに，教育内容・政策に関わる研究者は，表面的ではない応答をする必要がある。

教育社会学や教育哲学といった分野とは異なり，教育内容・政策研究は，現状の実践の分析・解釈にとどまらず，それを改善する方向性を意図する分野であるので，そうした実践的な問いを完全に無視するわけにはいかない。では，本書はこのような実践的な問いにどのように応答しているだろうか。

2000年以降ドイツでは，いわゆるPISA（経済協力開発機構＝OECD生徒の学習到達度調査）ショックと呼ばれる，15歳の子どもたちの学力の低さ，またそれの要因に教育システムが指摘され社会問題となった。また，オーストリア・スイスを含むドイツ語圏においても同様の状況が見られた。この状況に対する改革として，知識や技能以上に「ある問題を他者と協力して解決する力」や「自律的に問題に取り組む力」や「その際に，道具的に情報や知識を活用できる力」などいわゆるコンピテンシーを重視し，そのコンピテンシーを各教科や内容に即して「○○することができる」といった教育スタンダードに落とし込み，教育の成果を重視するようにカリキュラムの改革を行った。ドイツ語圏の教育研究ではこれを「パラダイムの転換」と呼び，同地域の教育が大きく変化したということが一般的な理解となっている。このことについて，筆者は，次のように述べることで，その理解を保留している。

> 特に現代史教育は，いわゆる知識の伝達を中心とする授業であっても，歴史的知識そのものが政治的思考と判断の基礎として重要なことから，それは政治教育の一部をなすと考えられるが，この改正(8)は，世界の（影響関係を含む）時系列的な把握という側面を押さえ，政治的必要性の観点から教育活動を捉え直している。こうした改革から生じる現代史学習に要する授業時間の不足，すなわち歴史学習として断片化しがちな問題への措置がないなど，付け焼き刃的な対応という面を見ることもできるが，ここに21世紀初頭のオーストリアにおける政治教育を強化しようとする姿勢が表れているのは間違いないところである。（本書，92頁）

この記述からは，教育内容・政策研究として次の点を読み取ることができる。第一に，コンピテンシー導入によって学習が断片化し，知識の獲得が不十分になる可能性があること，しかし，第二に政治的に必要な思考力・判断力といった高次な能力の育成にオーストリアの政治教育の進歩が認められるということである。また近藤は続けて次の点を指摘する。「マトゥーラ試験(9)を前提にしていた後期中等教育課程では，コンピテンシーの考え方は特に目新しいものではな」かったのに対し，「前期中等教育段階では，教員はこのたび，有効な政治教育は難しいと従来考えられていた年齢層の生徒たちに，これまで馴染みが薄かった，後期中等教育と同じコンピテンシーの観点からの教育活動を提供することが求められるという，二重の意味で難しい課題に直面」しており，政治教育に不慣れな前期中等教育の教員への研修や教員養成課程の修正が必要だとした（本書，124-125頁）。

ここから実践的な示唆を得ようとすれば次のように言えるだろう。つまり，現在のオーストリアの政治教育には，学習が断片化する負の側面と，高度な政治的思考力の育成という正の側面がある。ではそのどちらを取るのがよいのか。それは，学校段階（中等教育の前期・後期）あるいは学校種（AHSとNMS(10)）によって正負を使い分けたり，教員の研修制度を充実化させたりすることで，負の部分を補填しながら高度な政治的思考力や判断力の育成が行われる必要がある。このように，実践的な問いに対して近藤は表面的ではない応答を本書全体にわたり慎重にちりばめていると私は解釈している。しかしそうした表面的ではない応答を理解できる／したい教員層に本書のメッセージは届くだろうか。現在の日本の教育の現状は，一方で道徳教育の強化，もう一方で，教員から教材研究・授業研究の時間を奪うものとなっている。そして――本稿の内容からはそれてしまうが――これらは両輪である。

3 おわりに――比較教育学研究の古くて新しい型を求めて

最後に，近藤のこれまでの著作と本書の違いを印象に過ぎないのだが述べてみたい。これまでは近現代史や政治学の視座から，ドイツ語圏の教育を一つの素材として取り扱い，教育から一定の距離をとることに近藤の比較教育研究の特徴が示されていたように思われる。しかし，前作『ドイツの政治教育』や本書においては，タイトルに「教育」が含まれており，また内容そのものをみても「教育」への関心の高さが示されている。こうした変化から，近藤は教

（8）引用者註：2007年に連邦憲法法律改正によって選挙年齢が16歳に引き下げられ，それを受けておこなわれた2008年の教育課程基準改訂のこと。そこでは，「歴史・社会科」が「歴史・社会科と政治教育」と名称変更され，教科の目標が，歴史的コンピテンシーと政治的コンピテンシーの獲得に置かれることになった（本書，89-90頁）。
（9）後期中等教育修了資格試験のこと。この資格で原則的にどこの大学のどこの学部でも進学できる。
（10）AHS（Allgemeinbildende höhere Schule）は，進学を前提とした中等教育学校。いわゆるギムナジウム。NMS（Neue Mittelschule）は，5年生から8年生までの前期中等教育学校。

育に再接近を試みているのではという印象を受ける。またそれだけでなく，この２冊から，「欧米先進国に範を求める」古典的な比較教育学研究の新しい型を近藤が示そうとしているのではないかと思う。

書評

『黙って踊れ，エレクトラ――ホフマンスタールの言語危機と日本』
［関根裕子 著］
（春風社，2019年）

小野間亮子

本書は，ウィーン世紀末転換期の詩人フーゴー・フォン・ホーフマンスタールと日本の関係を論じた研究である。

近年，東洋哲学がホーフマンスタールにどのような影響を及ぼしたかという点に光が当てられるようになった。その理由について，著者である関根はホーフマンスタール批判版全集の刊行を挙げ，出版された文学作品だけではなく，それまで公表されていなかったメモ断片や講演のための覚え書き，書簡を含む包括的な研究が可能になったためであると分析している。筆者は2017年に「ホーフマンスタールと東洋」を題目として復旦大学教授リーが行った講演会に出席する機会を得た(1)。そこでリーはホーフマンスタールが自らの講演『ヨーロッパの理念』の中で言及している岡倉天心（覚三）と辜鴻銘を取り上げ，両者の思想が詩人のユートピア的アジア像，そしてその対極と言うべきヨーロッパ近代文化に対する批判の根底に流れていることを明らかにした。筆者にとってリーが三者の間に見出したダイナミックな相互関係は非常に興味深いものであったが，同時に岡倉がホーフマンスタールに与えた影響に関しては研究の必要性を感じさせるようにも思われた。本書は，この課題に切り込んでゆく。

ホーフマンスタール文学に日本あるいは日本人が現れる事例は限られている。しかし，その背後にはこの詩人が長年抱いていた「オリエント」――中近東からアジア，ギリシアをも含む広大な地域であり，地理上というよりは理念上の「場」を表わす――への関心があり，ひいては彼の文学を貫く一つの思想を形成しているのではないか。こうした仮定のもと，関根の研究はホーフマンスタールと二人の日本人，松居松葉および森鷗外との間に交わされた書簡を出発点とする。松葉と鷗外は各々詩人の作品を日本で上演すべく，許可を乞うた。そのうち，後者が希望した『オエディプスとスフィンクスと』の上演は実現しなかったようだが，前者の演出により戯曲『エレクトラ』は1913年10月に日本で初演される運びとなった。これに先立ち，ホーフマンスタールは書簡を通じて松葉に演出上の様々な助言を行っている。その文面からは『エレクトラ』という作品の本質が浮かび上がる。それこそが関根によってすくい上げられた詩人の意図，「ヨーロッパが失ってしまった人間的で普遍的なものを表現」（288頁）することに他ならない。

ホーフマンスタールは，自らの意図を舞台上で巧みに表現しうる存在として日本人に期待する考えを松葉に書き送っている。こうした日本人に対する信頼が生じた背景を探るべく，関根は詩人にとっての「オリエント」，そして「日本」が持つ意味を検証する。その過程で日墺文化交流史の枠にとどまらない様々な現象――ヨーロッパにおけるオリエント像の変遷や，ホーフマンスタールのギリシア観などが交錯することになる。ゆえに本書はホーフマンスタールと日本の直接的な関係を問題にしつつ，射程の広い研究となりえている。

ホーフマンスタール研究史に目を向けると，本書は2000年前後から行われてきた言語芸術と非言語芸術との関係を論じた研究の系譜に連なるものと言える。それらの研究が前提としているのは，「言語危機」を巡るホーフマンスタールの文学的試みだ。1902年に発表された彼の作品『手紙』に，この「危機」が顕著に表われている。詩人がイギリス人貴族チャンドス卿に仮託して書いた架空の手紙――そこで語られるのは，思考と判断を行う道具たる言語がその機能を失い，「腐った茸のように口の中で崩れてゆく」感覚だ。上述の研究において，『手紙』執筆以降に見られるホーフマンスタールの非言語的表現への傾倒はこの「危機」を克服するためであると説明された。いや，そ

（1）Shuangzhi Li, Vortrag, „Okakura, Gu Hongming und Hofmannsthal. Eine Konstellation der（Wieder-）Entdeckung Asiens in der globalen Geistesgeschichte“（2017年7月6日，於東京大学本郷キャンパス）.

れどころか「危機」は新たな言語表現の可能性を拓く契機という文脈でとらえ直されている。たとえば詩人が好んで取り組んだ主題である造形芸術や音楽については，形象，色彩，音が有する流動性・共時性が，抽象化・分節化を基盤とする硬直した言語表現からの解放を導く手段と見なされた[(2)]。そうした研究の中にはバレエ，パントマイムなど身体表現からのアプローチも存在しているが[(3)]，関根は「東洋の身振り」に着目し，その重要性を打ち出す。すなわち，ホーフマンスタールが日本人の所作に「人間の内なるものと外にあるものが一つになった，つまり一人の人間の全体，人格全体が表出されているような身体言語」（160頁）を見出したと結論づけたのだ。

以下，各章の内容を概観する。第1章では，ホーフマンスタールにおける「言語危機」が「知覚や認識を構成し，人間の思考を方向づけてきた言語が，その機能を果たせなくなっている」（23頁）ために「一個人のなかで，知覚するものの感覚的な具体性と認識するものの概念的な抽象性は乖離し，その両者を統合する全体性が失われている」（24頁）状態であると定義される。著者はホーフマンスタールがこの「危機」を自己の創作活動のみならずヨーロッパ社会全体の問題として捉えていると解釈し，個人および社会においていかに全体性を回復しうるかという命題から彼のオリエント像を解き明かす。ホーフマンスタールにとって，オリエントは「身体表現が日常生活のなかで息づき，既成のラテン語や英語などヨーロッパ言語による思考ではない何かによって人々が周囲と調和し生活している」（33頁）世界であった。そこに彼は近代ヨーロッパが失ってしまった根源的なもの，「人間の全体性のあり方」（69頁）を再発見し，「危機」から逃れるための道標とする。

第2章では，前章で提示された根源的なものを，ギリシアを経由してさらに東のオリエントに探し求めるホーフマンスタールの態度が鮮明になる。彼の作品には，ギリシア悲劇の翻案や古代ギリシアを舞台としたものが多数存在している。そこで強調された古代ギリシアにおけるオリエント的側面に関して，関根はニーチェの影響（ヨーロッパを再生するために「外側」からの視線を得る）を縦糸に，またバッハオーフェンとフロイトの受容（父権制社会で抑圧されてきた女性の主体性を描く）を横糸として立体的に叙述する。その中から舞踏という主題が立ち上がってくる。『恐れ／対話』に登場する踊り子ライディオンは，踊りのさなかに個としての自我を失い，「自己が自己と本当の意味で重なりながら同時に，自己の外側にある世界と一つに融けあっていくような全体性」（116頁）を実現する。それはまた，「西洋的なものと東洋的なもの，精神的なものと身体的なものとが融合した」（124頁）――ホーフマンスタールにとっての――理想の古代ギリシアを体現することでもある。

第3章では，オリエントの東端に位置する日本に対してホーフマンスタールが抱いていたイメージと，それが形成されるに至った経緯について考察が行われる。中心となるのは，詩人が折に触れ名を挙げているラフカディオ・ハーンと岡倉天心だ。彼らの著作を介して伝えられた日本に関する知識を，ホーフマンスタールは自らの作品に落とし込む。断片に終わった「若きヨーロッパ人と日本人貴族との対話」には，ハーンが紹介した日本人の死生観，とりわけ後述する「前世の観念」が色濃く反映されている。また，ホーフマンスタールは，天心が説く日本人の優れた感性に根ざした精神文化に感銘を受け，1917年にスイスで『ヨーロッパの理念』と題する講演を行った際，「個人主義，機械主義，重商主義」が蔓延して危機に陥ったヨーロッパ再生の手がかりとした（186頁）。その一方で，著者はハーンによって伝えられた仏教思想に対するホーフマンスタール独自の解釈や，天心が描き出した「古き良き日本像」と近代化へ向かう現実の日本との乖離を指摘し，両者の影響を多面的に検証する。

第4章では，パントマイムを含む舞踏作品および舞踏に関するエッセイの分析を通じて，ホーフマンスタールが求める新たな表現の可能性と日本を含むオリエンタルな身体表現との関係が論じられる。彼は川上貞奴のヨーロッパ公演を鑑賞し，人間の内面が身体の動きによって完全に担われている様を目の当たりにした。そこで受け取ったものが，エレクトラの「名前のない踊り」へと結実する。戯曲の幕切れ，言語を放棄し父の復讐が成就した喜びを全身で表現しようとするエレクトラの踊りは，言語による個体化の連続から解放され，一つの「全体」を顕現させる。こうした「精神性の高い非西欧的身体表現への大きな関心」（242頁）が，日本人俳優による『エレクトラ』上演に寄せたホーフマンスタールの期待を呼び起こす。

第5章では，『エレクトラ』日本初演を巡る状況が詳述される。本書の冒頭で述べられていたように，松葉から上演を打診されたホーフマンスタールはこれを快諾した。改めて全文を引用された松葉宛ての書簡の中で，詩人は『エレクトラ』について，「前世，業，死者への忠誠」といった日本人に理解されやすい主題を扱っており，西洋的なものというよりも古代的・オリエンタルな世界を表現すれば自ずと正鵠を得るだろうとの見解を示した。しかしなが

（2）Sabine Schneider, *Verheißung der Bilder. Das andere Medium in der Literatur um 1900*, Tübingen, 2006. や Ursula Renner, *„Die Zauberschrift der Bilder“. Bildende Kunst in Hofmannsthals Texten*, Freiburg, 2000. などがある。
（3）著者は参考文献として Susanne Marschall と Bettina Rutsch の著作を挙げている。

ら，実際の舞台はホーフマンスタールが望んだ形にはならなかった。その要因として，ドイツ語に堪能でなかった松葉による翻訳のまずさ，歌舞伎の女形出身である主演の河合武雄をはじめ古典的な日本の身体技法に慣れた俳優たちにヨーロッパの身体表現を教え込む実りの少ない演技指導などが挙げられている。西洋の技術と日本の文化を高い水準で融合させようとする野心的な試みに対し，鷗外はホーフマンスタール宛ての書簡で一定の評価を与えつつ，成功を収めたとは言い難いと報告した。この結果について，関根は詩人と松葉双方の期待や誤解が招いた舞台の出来栄えの悪さをあらわにした上で，「自分たちに欠けていたものを相手側に見出し，それを取り入れることで新しい自己を創造しようとする姿勢」(366頁）と「双方の思い込み，勘違いのうえに文化交流が成立している」(367頁）点を肯定している。

本書において実践されているように，ホーフマンスタールの日本像を究明するためには，彼が依拠した書物と現実との齟齬，さらには彼自身の誤解に基づく本来の文脈からの逸脱にも注意を払う必要がある。それが端的に表われているのは第3章，ハーンが仏教から取り出してきた日本人の「前世」に関する思想とホーフマンスタール文学における重要概念の一つ「プレエクシステンツ（前存在)」を比較した箇所だ。ここでは「前世」が用語として扱われるだけでなく，その内実を精査される。関根によれば，「プレエクシステンツ」という語は通常哲学・神学用語としては「霊魂が肉体の出生前に霊界に存在する」(163頁）という意味で理解されるが，ホーフマンスタール文学においては社会性を身につけていない，個人の殻に閉じこもった生き方を指す。後者の在り方は日本語の「前世」とは異なっていながら，「一人の人間の魂は，かつて存在した先祖の無数の魂の集合体」(163頁）と考える日本人の前世観から影響を受けている。関根はホーフマンスタールが蔵書に書き込んだ傍線や下線を辿り，日本人は「前世」や「因果応報」の考えを共有することによって，「過去」につながる時間軸上の，すなわち垂直的な「超個人的な」ものだけでなく，現世における空間的な水平方向に広がる「超個人的」な霊魂をも信じているという彼の認識を読み取ってゆく。この見地から，ホーフマンスタールは「プレエクシステンツ」について，「前世」を受け継いだ自己を意識せず自我だけにとどまっている状態であると捉え，社会性の獲得を通じて「エクシステンツ（成るべき自己)」に到達しうるという道筋をつけた。

こうした著者の考察は新たな研究へとつながりうる。1922年に初演された『ザルツブルク大世界劇場』が，その一例となるだろう。ギリシア悲劇の翻案に次いでホーフマンスタールが取り組んだのはバロック劇，なかでもカルデロン作品の改作だった。「世界劇場」とは，人間が創造主から振り当てられた役にわかれ，人生という劇を上演する暗喩だ。ここに登場する「肉体化していない魂たち unverkörperte Seelen」と書かれた未生の人間たちは，本来哲学・神学用語の「プレエクシステンツ」であるが，ホーフマンスタールの改作においては関根によって定義された意味が当てはまるのではないか。たとえばカルデロンの原作では創造主がすべてを差配しているのに対し，ホーフマンスタール作品では少なからず役割を制限されている(4)。この変更の意義は，「プレエクシステンツ」の状態にあった魂が与えられた役を演じるうちに「エクシステンツ」へと到達する過程を，意に染まぬ「乞食」役を与えられた一個の魂を中心として他者との関わりの中から描くことが可能となったところにある。絶対者との垂直的関係を断念することなく，他者との水平の関係が強調される翻案に，ハーンが与えた影響の片鱗が見られるのか否か，さらなる論考が待たれる。

本書は時宜を得た研究であると共に，二項対立的構図をすり抜けてゆくホーフマンスタール文学の魅力を伝えてくれる。『手紙』を読むと，そこに書かれた内容が作者自身の実体験か虚構かという議論を超え，言葉そのものが圧倒的な力をもって立ち現れてくる。彼が目指した新たな言語表現について，単純に「西洋」から「東洋」へ，「言語」から「身体」への一方的な移行であると決めつけない本書は，この体験を彷彿とさせる。そして，文化交流という大きな主題を扱いながらホーフマンスタール文学の本質に迫る手法は，横断的であるが表層的ではない稀有な例と言えるだろう。

---

(4) Irene Pieper, *Modernes Welttheater. Untersuchungen zum Welttheatermotiv zwischen Katastrophenerfahrung und Welt-Anschauungssuche bei Walter Benjamin, Karl Kraus, Hugo von Hofmannsthal und Else Lasker-Schüler*, Berlin, 2000, S. 115-116.

『ドイツの核保有問題――敗戦からNPT加盟，脱原子力まで』
［津崎直人 著］
（昭和堂，2019年）

阿部悠貴

1 はじめに

国際関係論の議論では対照的なドイツ外交の姿が描かれることがある。その一つは第二次世界大戦後に課せられた軍事的制約から自由になろうとするドイツであり，もう一つは過去の歴史を反省し，国際協調を重んじるドイツである[1]。これらの議論は異なる論者によって展開されてきたこともあり，なぜこうした特徴が同時に見られるのか，またそれがどのような面でつながりあっているのかといった実態は不明瞭なままであった。

本書はドイツの「核保有問題」を検討することで，その実態に迫るものである。ドイツが核兵器を求めた理由は何であったのか，これは国際協調からの逸脱と捉えるべきなのか。これに対しアメリカ，ソ連はどのように反応したのか，そしてこの問題は国際政治にいかなる影響を及ぼしたのか。本書は公刊・未公刊史料，および回顧録をはじめ，広範な文献を渉猟することで，こうした問いに答えていく。

さらに今日，ドイツは脱原発へと舵を切り，核の平和利用からも転換を図っている。本書は核保有問題の考察を踏まえた上で，ドイツのエネルギー政策をめぐる現状についても分析を加えている。

2 本書の内容

本書は序章，終章のほか，全八章で構成される（以下，再統一前の西ドイツも「ドイツ」と表記する)。序章では本書の概要，ならびにドイツの核保有問題を取り上げることの意義が説明される。本書の主張は，第二次世界大戦後ドイツが核兵器を手に入れようとした一連の「核保有問題」は，核拡散防止条約（NPT）によって解決されたというものである。しかし，既存研究ではドイツがNPTに加盟したことの意味が軽視されてきた。本書はドイツがこの条約に調印したことで周辺国の不安が和らぎ，東西冷戦の緊張緩和に貢献したと論じる。加えて，これまでの研究ではなぜ他の取り決めではなくNPTでなければならなかったのか，またドイツの多くの政治家がこの条約に反対していたにもかかわらず，なぜ最終的に署名したのか，NPTを成立させるためにアメリカとソ連はいかなる妥協を強いられたのかといった点も十分に明らかにされてこなかったという。本書はこうした点を掘り下げていく。

第一章ではドイツの核開発放棄宣言について論じられる。第二次世界大戦後，ドイツの核開発をいかに防ぐかということは大きな国際的関心事であった。軍事大国としてドイツが復活することを恐れるフランスは欧州防衛共同体（ECD）条約を提唱し，この中でドイツの核開発を禁止させようとした。しかし，後にフランス自らがこの条約を否決したことにより，「条約方式」での禁止は実現しなかった。代わりに，ドイツの主権回復と再軍備を認めた1954年のパリ条約にて，ドイツは核開発の放棄を表明し，「宣言方式」という形で禁止されることになったのである。ただし，これは核保有の放棄ではないため，ドイツに原子力政策の自由は認められ，さらにアメリカが自国の核兵器をドイツに配備し，その発射を含む共同決定に参与する余地も残されることになった。この核保有問題が国際社会を悩ませることになったのである。

第二章では1956年以降アデナウアー政権が核保有を求めた理由が考察される。アメリカのアイゼンハワー大統領は経済力の維持こそが冷戦を戦い抜くために必要であると考え，軍事費の削減を打ち出していた。具体的には在欧米

(1) 比較的最近の研究でもドイツ外交は違った視点から議論されている。例えばDieter Dettke, *Germany Says "No": the Iraq War and the Future of German Foreign and Security Policy*, Baltimore: Johns Hopkins University Press, 2009; Anika Leithner, *Shaping German Foreign Policy: History, Memory, and National Interest*, Boulder: FirstForumPress, 2009.

軍を減らし，コストのかさむ通常戦力よりも核戦力を重視することを表明したのであった。こうして北大西洋条約機構（NATO）を通じてドイツにも戦術核が配備されていくのであるが，しかしアデナウアーはアメリカの在欧米軍削減を「西欧諸国を見捨てる危険性」（本書，59頁）と捉え，独自の防衛力を高めるために，そして西欧諸国がアメリカの方針に左右されないために，核保有を主張するようになったのである。ただしアデナウアーが目指したのはドイツが単独の核兵器を持つことではなく，あくまでも欧州統合に基づく共同開発であった（66頁）。

第三章ではベルリン危機について議論される。ベルリン危機は1958年にソ連がアメリカ，イギリス，フランスの戦勝国，および東西ドイツに向けて平和条約を提案したことから始まる。東ベルリンから西ベルリンへの大量の人口流出に面したソ連は，東西ドイツに関する平和条約を締結することで西ベルリンを東ドイツに帰属させ，それにより人口流出を阻止しようとしたのであった。この時，ソ連は軍事衝突も辞さないほどの強い態度を取ったためこの危機は起きたのである。もっとも，この人口流出は1961年に東ドイツがベルリンの壁建設を強行したことで止まったが，にもかかわらずソ連が態度を変えることはなかった。本書はこの危機の本質がドイツの核保有にあったからであると主張する。ソ連にとってはドイツの核保有こそが脅威であったため，この機会に一気に除去しようとしたのであった。

そこでアメリカのケネディ大統領はドイツの核保有禁止を取引条件として危機の終結を図ろうとする。しかしこの方針に「怒りを強めていった」（103頁）のがドイツである。自国の安全が確保されず，しかも一国だけ核兵器の保有を禁止される不平等な扱いに強く反発したのであった。最終的にベルリン危機は，キューバ危機後，米ソの間で緊張緩和が進んだことで終息するが，ソ連の脅しはもちろんのこと，大国アメリカでさえ核兵器保有の「禁止を明確かつ強力なルールとして定着させて西独に受け入れさせる」（104頁）ことはできなかったのである。

第四章では核保有を模索するドイツと多角的核戦力（MLF）の関係が検討される。MLFとはNATO加盟国で戦力核部隊を共同運用する計画であり，ドイツはここに核保有の可能性を見出す。たとえMLFの予算の大部分を負担することになったとしても，ドイツは核政策への発言権を得られるのである。確かに他の西欧諸国にとってもMLFにはドイツが単独で核兵器を保有することを不可能にする利点があった。しかしドイツの核保有に対する抵抗感は強く，結局，西欧諸国からの賛同は得られず，さらにソ連からの反対にも直面し，MLFは頓挫することになった。こうした経緯の後，ようやくNPTという条約によってドイツの核保有問題を解決する案が本格的に議論され始めるのである。

第五章ではNPTをめぐる交渉が論じられる。これまで頑なにドイツの核保有禁止に抵抗してきたのはキリスト教民主同盟（CDU）／キリスト教社会同盟（CSU）であったが，両政党と社会民主党（SPD）との大連立が成立し，ドイツの態度にも変化が見られるようになる。SPDはブラント外相（後の首相）のイニシアティブのもと，周辺諸国の不信感を取り除くことが冷戦の緊張緩和，ひいてはドイツの安全に貢献すると主張し，核保有禁止を受け入れる姿勢を示していた。この大連立政権の誕生後，ドイツはNPT交渉に乗り出していくのであった。

しかし，NPTに加盟すれば原子力政策の自由も制約されるため，ドイツは査察を最小限に抑えるべく国際原子力機関（IAEA）ではなく，ヨーロッパ共同体（EC）の機関で，査察の適用範囲も限定されるユーラトムによる査察を認めるよう要求した。これはNPT全体の査察体制を弱体化させるものであったが，アメリカはNPTの成功のためにはドイツの加盟が必要と判断し，これに譲歩する。さらに，難色を示すソ連に対してドイツの要求を認めるよう説得する役回りを演じることにもなったのである。「ドイツ人がこの条約（NPT）を書いた」（179頁，カッコは原文ママ）とアメリカのジョンソン大統領が述べたほどに，ドイツの存在はNPT成立において大きな比重を占めたのであった。

第六章ではドイツのNPT加盟により，どのような変化が国際政治に生じたのかが検討される。最終段階まで署名を渋ったCDU/CSUが与党の座から降り，新たにブラント首相のもとSPDと自由民主党（FDP）の連立政権が誕生すると，ドイツはようやくNPTに加盟する。本書はこのことが東方外交の大きな推進力になったと述べる。ソ連はドイツとの平和条約の条件としてNPT加盟を挙げていたが，これが果たされたことでモスクワ条約が結ばれる。次いでポーランドとの間でもワルシャワ条約が締結され，デタントは大きく進展するのであった。NPT加盟はドイツに対する歴史的な「根強い不信感」（254頁）を解消するのに貢献し，冷戦対立の緊張緩和という転換点になったのである。

しかし，続く第七章ではNPT加盟後のドイツの態度が決して一筋縄にはいかなかったことが明らかにされる。ブラント政権を継いだシュミット政権は原子力技術，中でも核兵器開発に利用可能な「センシティブ技術」をブラジル，および（実施には至らなかったが）イランに輸出することを決定したのである。原発産業の育成に熱心なシュミット政権は，アメリカのカーター大統領の反対にもかかわらず，経済的利益を優先してこの決定を下したのであった。

しかし，1970年代後半になるとドイツ国内で新たな動きが生まれてくる。これまで核兵器の保有，原子力政策を推進してきたのは「政府，財界，科学者等のエリートたち」であったが，今度は「全国の市民たちの運動」（279頁）により脱原子力に向けて動き出すのであった。各地で大規模な原子力発電所建設に反対するデモ，集会が催され，またこの市民運動から誕生した緑の党が（二大政党によって取り上げられない）新たな価値観を吸い上げ，ドイツの原子力政策は大きく転換していくのであった。

第八章はドイツの原子力政策をめぐる1990年代以降の動きが考察される。原子力エネルギーに反対する運動は着実に広がりを見せていった。SPDも1986年のチェルノブイリ原発事故後，脱原子力を党の方針として採択する。そのSPDと緑の党が1998年に連立政権を樹立し，原発19基の廃炉を決定する。しかし実はその前のコール政権期から「エネルギー転換」（338頁）が進んでおり，既に再生可能エネルギーを推進する基盤がドイツでは形成されつつあった。その後，メルケル政権は2010年に原発閉鎖の時期を延長するが，翌年の福島原発事故を契機にドイツ史上最大の反原子力デモが起きると，この決定を撤回している。こうして原発の完全閉鎖が定まったのである。「原子力関連施設や物質」は今後も残ることになるが，ドイツでは「原子力や核開発能力が劇的に弱体化したのは確かであり，それらが再び発展する見込みは，少なくとも現在のところは乏しい」（356頁）と本書は述べている。戦後から続いたドイツの核保有問題はこうして終結を迎えたのであった。

終章ではこれまでの議論を踏まえながら，近年の動向について言及される。アメリカのトランプ大統領が同盟国に対する安全保障のコミットメントを弱めると発言したことを受け，近年，ドイツ国内でも核保有を唱える声が聞かれる。しかし，こうした主張は核保有によりドイツが国際的信頼を失うことを考慮していないと本書は指摘する。実際，ブラント首相が周辺諸国の信頼を獲得することを意図してNPT加盟を決断したように，この態度が国際秩序の安定に貢献してきたのである。本書は核保有問題から得られた知見を踏まえて最近の論争を検討し，全体の議論を閉じている。

3 本書の特色

本書の分析が興味深いのは，自国の利益を追求するドイツと，国際協調を重視するドイツ二つの姿を克明に論じている点である。評者は冒頭で異なるドイツ外交像ついて言及したが，本書はこの関係性を明らかにしている。確かにアデナウアー首相は「力の政策（Politik der Stärke）」（72頁）に基づき，自国の防衛力強化のために核保有を目指したが，彼が主張したのはドイツ単独での核保有ではなく，ひとえにヨーロッパ統合の深化という国際協調を目的にした共同運用であった。また冷戦の緊張緩和がドイツの安全保障に寄与するというブラント首相の信念がNPT加盟の推進力となったのであるが，しかしNPTの査察体制はドイツの要求によって大幅に弱体化させられたのであった。そして核兵器の保有禁止の合意は遵守しても，NPT体制の正統性を揺るがすかのように，シュミット首相は経済的利害から原子力技術の輸出に乗り出したのであった。

また本書は，核保有という一つのテーマに光を当てることで，ドイツ戦後史の全貌を余すところなく論じることに成功している。高い科学技術力を有し，第二次世界大戦中から核兵器開発を疑われたドイツを国際社会はいかに制御するかという「ドイツ問題」（32頁）に始まり，ドイツ国内で起きた1950年代の「原爆による死に反対する闘争（Kampf dem Atomtod）」（77頁），ベルリン危機（第三章），東方外交（第六章），反原発運動，ならびに緑の党の登場（第七章），そして今日の脱原発路線（第八章）など，これら一部の例を挙げただけでもドイツ戦後史における重要な出来事が包括的に網羅されていることが分かる。本書によって，核保有をめぐる思惑がドイツ外交のあり方を規定していたという視点が確立されたと言っても過言ではないと考える。

加えて本書の分析は冷戦史研究にも一石を投じている。国際関係論の多くの文献では，NPTは核兵器の拡散を防ぐために形成された国際的取り決めであると書かれている。しかし，その狙いがドイツの核保有の封じ込めであったとはこれまであまり考えられてこなかった。本書の筆者である津崎直人氏はドイツへの関心から本書のテーマを研究し始めたのではなく，アメリカ外交とNPT形成を研究する過程でドイツに注目するようになったという（「あとがき」434頁）。この独創的な着眼点に基づき，氏はなぜドイツの処遇がNPT成立の重要な要素であったのかという解釈を提供している。

だがその一方，些細ではあるが後半のドイツの脱原発の議論になると先行研究への「依拠」，「要約」という断り書きが散見され，叙述的な内容が見受けられることが気になった。これは前半の核保有の議論では明確な問いが掲げられていたのに対し，脱原発のテーマではそれが見えにくいことに関係していると思われる。前半部分ではなぜドイツは核保有を求めたのか，NPT形成の真の狙いは何であったのか，ドイツのNPT加盟は冷戦対立にどのような変化をもたらしたのか，というはっきりした目的があるため，先行研究への言及があったとしても，その理解には何が欠け，何が問題であるのか，本書は何を補い，どう乗り越えていくのかという意図が明確に伝わってきた。しかし，後半部分になるとそうした問いは示されず，反原子力運動はどのように進んでいったのか，現在，各政党は原子力政策にどのような見解を持っているかという事実関係が順次述べられるに留まる。ここは前半の優れた考察を生かし，核保有をめぐる議論と反原子力運動の関係に特化するか，もしくは反原子力運動はヨーロッパ各地で起きたにもかかわらず(2)，なぜドイツは最終的に原子力政策を放棄するに至ったのかという特殊性に焦点を当ててもよかったのではないかと思われる。そうすることにより先行研究との違い，本書の狙いはより伝わるものと考える。もっともこれは書き方の問題でもあり，全体の価値を損なうものではない。

今日，アメリカとロシアが中距離核戦力全廃（INF）条約から離脱し，新戦略兵器削減条約（新START）の延長も見通せない中，国際政治は「核なき世界」から再び核軍拡の時代に戻りつつあるのかもしれない。しかしドイツはこれと逆の方向に進み，核兵器に利用可能なプルトニウムもいずれMOX燃料として使い切ることが予想されている（351頁）。他方，世界では脱原発，再生可能エネルギーをめぐる議論が一層盛んに行われており，ドイツはその先例として取り上げられることが多い。核兵器と原子力エネルギーからの転換という二つの視点を併せ持つ本書は，ドイツ一国に留まらず，今後の世界の動きを考える上で重要な知見を提供してくれるだろう。

（2）例えば代表的なものでは Herbert P. Kitschelt, “Political Opportunity Structures and Political Protest: Anti-Nuclear Movements in Four Democracies,” *British Journal of Political Science*, vol. 16, issue 1, 1986, pp. 57-85.

執筆者紹介（掲載順）

◉小野寺 拓也（おのでら たくや）
東京外国語大学世界言語社会教育センター特任講師（ドイツ現代史）
『野戦郵便から読み解く「ふつうのドイツ兵」——第二次世界大戦末期におけるイデオロギーと「主体性」』（山川出版社，2012年）；「ナチ体制と『感情政治』——第二次大戦下のクリスマスを例に」『思想』1132号（2018年）36−54頁。

◉西山 暁義（にしやま あきよし）
共立女子大学国際学部教授（ドイツ近現代史）
“School Politics in the Borderlands and Colonies of Imperial Germany: A Japanese Perspective, ca. 1900-1925”, *Cross-Currents. East Asian History and Culture Review*, No. 32, 2019, pp. 50-73;（共編著）“Introduction: Résoudre le passé”（pp. 21-23, avec Valérie Rosoux）, “Réconciliation vue d'Asie”（pp. 201-204）, “Meiji. Le Japon sous influence”（pp. 1207-1214）, Etienne François/ Thomas Serrier（sous la direction de, avec Pierre Monnet, Akiyoshi Nishiyama, Olaf B. Rader, Valérie Rosoux et Jakob Vogel）, *Europa. Notre histoire. L'héritage européen depuis Homère*, Les Arènes, 2017.

◉ツィーマン，ベンヤミン（Ziemann, Benjamin）
シェフィールド大学歴史学科教授（ヨーロッパ・ドイツ近現代史）
Martin Niemöller. Ein Leben in Opposition, DVA, 2019; *Contested Commemorations. Republican War Veterans and Weimar Political Culture*, Cambridge University Press, 2016.

◉板橋 拓己（いたばし たくみ）
成蹊大学法学部教授（国際政治史）
『黒いヨーロッパ——ドイツにおけるキリスト教保守派の「西洋（アーベントラント）」主義，1925～1965年』（吉田書店，2016年）；『アデナウアー——現代ドイツを創った政治家』（中央公論新社，2014年）。

◉今井 宏昌（いまい ひろまさ）
九州大学大学院人文科学研究院講師（ドイツ現代史）
『暴力の経験史——第一次世界大戦後ドイツの義勇軍経験 1918～1923』（法律文化社，2016年）；「ドイツ義勇軍経験とナチズム運動——ヴァイマル中期における「独立ナチ党」の結成と解体をめぐって」『ゲシヒテ』11号（2018年），1−13頁。

◉速水 淑子（はやみ よしこ）
横浜市立大学国際教養学部准教授（政治思想・ドイツ文学）
『トーマス・マンの政治思想——失われた市民を求めて』（創文社，2015年）；„Fehlgeleitete Rache. Erinnerung an Gewalt in Günter Grass' *Im Krebsgang* und Heinrich von Kleists *Penthesilea*“, Markus Joch（Hrsg.）, *Erinnerungsliteratur nach 1945. Medien, Kontroversen, Narrationsformen*, Studienreihe der Japanischen Gesellschaft für Germanistik, 132, 2018, S. 48-63.

◉牧野 広樹（まきの ひろき）
京都大学大学院人間・環境学研究科博士後期課程（ドイツ文学）
「青年音楽運動における聴覚論」『Germanistik Kyoto』第20号（2019年），1−19頁；「芸術的共同体——青年音楽運動における音楽実践の役割について」『音楽学』第65巻1号（2019年），18−31頁。

◉小野 二葉（おの ふたば）
筑波大学人文社会系非常勤研究員（ドイツ文学）
「<正しい>共同体？——トーマス・マン『魔の山』のアンビヴァレンツ」『ドイツ文学』152号（2016年），122−137頁；「トーマス・マン『魔の山』における有機的共同体」『Rhodus —— Zeitschrift für Germanistik』27号（2013年），1−15頁。

◉佐々木 優香（ささき ゆうか）
筑波大学人文社会科学研究科博士後期課程（ドイツ移民研究）
「ドイツにおける移民の第二世代と出自言語教育に関する一考察——ロシア語授業の事例から」『移民政策研究』第11号（2019年），173−187頁。

◉**伊藤 亜希子**（いとう あきこ）
福岡大学人文学部准教授（異文化間教育）
『移民とドイツ社会をつなぐ教育支援――異文化間教育の視点から』（九州大学出版会，2017年）；「ドイツにおける公正な社会の構築をめざした異文化間教育政策――研究との関連に着目して」『人文論叢』第50巻第2号（2018年），379–396頁。

◉**立花 有希**（たちばな ゆき）
宇都宮大学国際学部講師（比較教育学）
「移民社会ドイツにおける教員養成――ベルリンの言語教育モジュールについての検討」『宇都宮大学国際学部研究論集』47号（2019年），113–121頁；「ドイツの就学前教育における移民の子どもの言語発達の評価と支援――ヘッセン州における取組を中心として」『異文化間教育』45号（2017年），108–122頁。

◉**近藤 孝弘**（こんどう たかひろ）
早稲田大学教育・総合科学学術院教授（比較教育学）
『政治教育の模索――オーストリアの経験から』（名古屋大学出版会，2018年）；『ドイツの政治教育――民主社会への課題』（岩波書店，2005年）。

◉**藤田 恭子**（ふじた きょうこ）
東北大学大学院国際文化研究科教授（ドイツ語圏文化・文学研究，マイノリティ文化論，比較文化論）
『「周縁」のドイツ語文学――ルーマニア領ブコヴィナのユダヤ系ドイツ語詩人たち』（東北大学出版会，2014年）；「多民族国家の解体と『ドイツ人』意識の変容――両次大戦間期ルーマニアにおけるユダヤ系およびドイツ系ドイツ語話者を事例に」『ドイツ研究』第48号（2013年），43–55頁。

◉**佐藤 雪野**（さとう ゆきの）
東北大学大学院国際文化研究科准教授（中欧史）
「チェコとスロヴァキアのロマ――中欧における共生の可能性」『思想』1056号（2012年），92–106頁；「レンカ・ライネロヴァーの最後のメッセージ」『東北ドイツ文学研究』53号（2010年），19–37頁。

◉**大河原 知樹**（おおかわら ともき）
東北大学大学院国際文化研究科教授（中東社会史）
「ヨーロピアン・グローバリゼーションとイスラーム世界――イギリス，オスマン帝国，ユダヤ人」渡辺昭一編『ヨーロピアン・グローバリゼーションの歴史的位相――「自己」と「他者」の関係史』（＝アジア遊学165，勉誠出版，2013年），175–188頁；「オスマン帝国の税制近代化と資産税―― 19世紀前半のダマスカスの事例」鈴木董編『オスマン帝国史の諸相』（東京大学東洋文化研究所／山川出版社，2012年），321–351頁。

◉**桑名 映子**（くわな えいこ）
聖心女子大学現代教養学部准教授（ハプスブルク帝国史）
「マイヤーリングの悲劇とハンガリー人外務次官――皇太子ルドルフの書簡をめぐって」『聖心女子大学論叢』第116集（2011年），83–114頁；（翻訳）スティーヴン・ベラー（桑名映子訳）『世紀末ウィーンのユダヤ人――1867–1938』（刀水書房，2008年）。

◉**伊藤 真実子**（いとう まみこ）
学習院大学国際センター教授（日本近代史）
『明治日本と万国博覧会』（吉川弘文館，2008年）；“Natural History and Amateur Scholars in Japan from the Seventeenth to Nineteenth Centuries”，『19世紀学研究』第11号（2017年），17–24頁。

◉**村上 亮**（むらかみ りょう）
福山大学人間文化学部講師（近代ハプスブルク帝国史）
『ハプスブルクの「植民地」統治――ボスニア支配にみる王朝帝国の諸相』（多賀出版，2017年）；「ボスニア・ヘルツェゴヴィナ併合問題の再検討――共通財務相I・ブリアーンによる二つの『建白書』を手がかりに」『史林』第99巻4号（2016年），66–94頁。

◉**大井 知範**（おおい とものり）
清泉女子大学准教授（ドイツ・オーストリア史）
『世界とつながるハプスブルク帝国――海軍・科学・植民地主義の連動』（彩流社，2016年）；「20世紀初頭のハプスブルク帝国海軍と東アジア――寄港地交流を通じた帝国主義世界への参与」『史学雑誌』124巻2号（2015年），177–209頁。

◉**梅原 秀元**（うめはら ひではる）
フェリス女学院大学等兼任講師（ドイツ近現代史）
Gesunde Schule und Gesunde Kinder. Schulhygiene in Düsseldorf 1880-1933, Klartext 2013；（共著）梅原秀元／ハンス＝ヴァルター・シュムール「『治療と絶滅』から『過去との対話と改革へ』―― 20世紀ドイツ精神医療史」『日本医史学雑誌』第59巻（2013年），547–563頁。

◉**伊藤 実歩子**（いとう みほこ）
立教大学文学部教授（教育方法学）
『戦間期オーストリアの学校改革――労作学校の理論と実践』（東信堂，2010年）；「ドイツ語圏の教育改革におけるBildungとコンピテンシー」田中耕治編著『グローバル化時代の教育評価改革――日本・アジア・欧米を結ぶ』(日本標準, 2016年), 124-135頁。

◉小野間 亮子(おのま りょうこ)

明治大学非常勤講師(ドイツ文学)

『断片化する螺旋――ホーフマンスタールの文学における中心と「中心点」』(鳥影社, 2017年);「二様の新しい小説――『袖の下のきかぬ男』から読み解くホーフマンスタールのロマーン論」『オーストリア文学』31号(2015年), 12-22頁。

◉阿部 悠貴(あべ ゆうき)

熊本大学法学部准教授(国際関係論)

Norm Dilemmas in Humanitarian Intervention: How Bosnia Changed NATO, London: Routledge, 2019;「コンストラクティヴィズムにおける『規範の衝突』――ボスニア内戦に対するドイツの対応を事例に」『国際政治』第172号(2013年), 73-86頁。

日本ドイツ学会　第35回大会報告

日本ドイツ学会大会は2019年6月30日（日），法政大学市ヶ谷キャンパスにて開催された。プログラムは以下のとおりである。

各フォーラム，シンポジウムの内容については本号所収の各論文・報告を参照されたい。

フォーラム　10時–12時

1. ドイツは移民の統合に失敗したか？——教育政策の視点から

佐々木優香（筑波大学）　伊藤亜希子（福岡大学）
立花有希（宇都宮大学）
司会：近藤孝弘（早稲田大学）

2. ドイツ・ハレ市における移民難民の社会統合——フィールドワーク中間報告

藤田恭子（東北大学）　佐藤雪野（東北大学）
大河原知樹（東北大学）

3. オーストリア＝ハンガリーと日本——国交樹立150周年を記念して

伊藤真実子（学習院大学）　村上　亮（福山大学）
大井知範（清泉女子大学）
司会：桑名映子（聖心女子大学）

シンポジウム　15時30分–17時
「ヴァイマール100年——ドイツにおける民主主義の歴史的アクチュアリティ」

基調講演
ベンヤミン・ツィーマン（シェフィールド大学）
パネリスト
板橋拓己（成蹊大学）　今井宏昌（九州大学）
速水淑子（横浜市立大学）
司会：小野寺拓也（東京外国語大学）
西山暁義（共立女子大学）

2018年度日本ドイツ学会奨励賞（第14回）

村上公子

2018年度のドイツ学会奨励賞は，石井香江『電話交換手はなぜ「女の仕事」になったのか：技術とジェンダーの日独比較社会史』（ミネルヴァ書房刊）に差し上げることになりました。

審査の経緯について，簡単にご報告申し上げます。

今回，奨励賞候補作品を選定する前段階として，奨励賞事務局担当の弓削さんから，対象期間に出版されたドイツおよびドイツ語圏に関わる書籍のリストが示され，奨励賞候補作品としての推薦を学会員の皆様にお願いいたしました。

その結果，4作品が奨励賞候補作品として推薦され，奨励賞審査委員6名ないし7名がそれらの作品を読み，評価したものを所見と共に事務局に提出しました。

作品によって所見を寄せた委員の数が異なるのは，各々の審査委員のやむを得ない事情によります。また，それによって不公平が生じないよう，評価の際には考慮いたしました。

評価は従来通り，各委員がそれぞれの作品に10点満点で評点を付け，それを集計する，という形で行いました。その上で，5月26日，出席可能な審査委員が集まって合議の上，受賞作を決定いたしました。

石井作品は，全ての審査委員から非常に高く評価され，受賞に疑義があるとすれば，既にアカデミック・キャリアに乗っていらっしゃる方を対象とするのは，奨励賞として適当なのか？　という点と，著者の年齢のみである，ということになりました。

第1の点は，これまでも既に大学で定職をお持ちの方に何度も奨励賞を差し上げておりますので，今回それを問題にする必要はないと考えられます。第2の年齢に関しては，本作執筆時には奨励賞の年齢制限内であったということで，クリアできるであろうと判断いたしました。

石井香江さんは，既にご存じの方も多いかと存じますが，同志社大学准教授でいらっしゃいます。そして，受賞作『電話交換手はなぜ「女の仕事」になったのか』は，膨大な人事資料をドイツ，日本双方について丁寧に読み込み，そのデータに基づいて，「電信」「電話」に携わる男女の就労者の生活を描き出し，電話交換手＝女というイメージ成立の裏にある歴史を日独対照しつつ明らかにしようとするものである，と纏めることができるでしょう。

本作は本年5月，昭和女子大学女性文化研究賞の受賞対象になり，石井さんはこの賞を受賞されました。こちらの賞は「男女共同参画社会形成の推進あるいは女性文化研究の発展に寄与する研究を対象」とするものだそうですが，本作の内容は，当然ながら，この賞の対象となるに相応しいものです。しかし，それだけではありません。ある委員は本作について次のように評価しています。「従来の専門職研究の枠を大きく超える力作。比較ジェンダー史・比較社会史研究の新境地を開いた。」

歴史学の立場からも，ジェンダー研究の見地からも，社会文化研究あるいは女性文化研究の場から見ても高く評価される本作は，分野の壁を越えた研究を目指すドイツ学会の差し上げる奨励賞の対象として最適であると言ってよいのではないでしょうか。

受賞の挨拶

石井香江

ただいまご紹介にあずかりました同志社大学の石井香江と申します。この度は，拙著をドイツ学会奨励賞にお選びいただきまして，誠にありがとうございました。ご推薦下さった方をはじめ，ご講評下さった選考委員の先生方に，この場を借りまして，深くお礼を申し上げたいと思います。また，これまで幾つかの書評で頂きました貴重なご指摘，ご批判の数々を真摯に受け止め，今後の研究活動で取り組んでいく課題にしたいと存じます。

早速ですが，私の研究のバックボーンとなる学問分野は社会学です。現代社会の問題に対する関心が先にあり，その由来を探るために歴史的アプローチをとる姿勢を明確にしてきました。拙著もこうした研究スタイルから生まれていますので，理解が得られないのではないかと危惧していましたし，もっと工夫の余地があったことも強く自覚しております。ですので，受賞のご連絡を頂いた時は，正直なところ大変驚きました。社会学と歴史学の対話を，強引ながらも試みようと挑戦した点が，学際的研究として評価して頂いた理由ではないかと推察しています。

本書は，19世紀後半から20世紀初頭において，この時代を大きく動かした情報通信技術である電信・電話の誕生と発展のプロセスに注目し，それがドイツと日本において，技術を扱う労働力の配置，職場のジェンダー秩序に与えたインパクトについて比較検討しています。世界のグローバル化を牽引した電信・電話の，インフラとしての役割に注目する経営史・経済史的な研究に比べ，拙著のように電信・電話を扱う職場，そこで働く現業労働者・オペレーターに焦点を当てて，時代の特徴を描きだす社会史的・技術史的研究は，日本ではあまり見られませんでした。

ところで，本書の表紙の絵は，読者の方にとってインパクトが強いようで，関心を持ってくださる方が少なくありません。これは，民衆の日常を描いたドイツの画家ヴェルナー・ツェーメが，19世紀末のベルリンの電話局の様子を描いたものです。電話交換手といえば女性の職業の先駆けであり，女性たちが切り拓いた職業として知られていますが，歴史をたどれば男の仕事として出発しました。この絵は，技術革新を一つの契機として，電話交換手が男性から女性市民層の仕事に移り変わっていく瞬間をとらえた貴重な一枚といえます。

電話交換手が女の仕事であった事実についてはよく知られていますが，その理由や経緯について，必ずしも説得的な説明がなされてきたわけではありません。本書ではこのブラックボックスに迫るために，逓信省や各地の電信・電話局の公文書，社史，従業員が購読する機関誌や新聞に加え，職場のリアリティを描く回顧録や小説までを検討しました。また日本に関しては聞き取り調査も試みました。

本書の特徴は電話交換手が女の仕事になっていく過程を，電信技手が男の仕事になっていく過程と表裏一体のものとしてとらえ，関係史的に分析している点です。もう一つの特徴は，日独間の比較史であるという点です。電信・電話は欧米で開発され，ほぼ同時期に世界中に伝播し，世界の隅々を結びました。このため各国は，技術の使い方や担い手についての情報を共有し，互いに参照し合っていたのです。比較の視点は自ずと生まれ，ドイツと日本の間に多くの共通点を発見する一方で，技術革新の速度や「職場文化」の有無，その持続性という相違点も確認できました。本書では比較という方法を自己目的化するのではなく，日独の間に相違点を見出し，そこを可能な範囲で掘り下げるためのツールとして活用しました。ご批判はありましたが，ジェンダー秩序を日々生成する職場文化の存在は，一国史的な枠組みで研究していたのでは，気づきえなかったことと思います。

ただし，日本の職場文化に注目したがゆえに，歴史学では重要と思われるテーマ，例えば二度の世界大戦時の国内外での女性労働の実態を掘り下げることは，あえてしませんでした。電信・電話は重要な軍用技術でもありましたし，女性の戦争への動員というテーマとは切り離せません。こうした課題については，今後あらためて正面から向き合っていくつもりです，と決意表明をさせていただき，私からのご挨拶を終わらせていただきます。本日は誠にありがとうございました。

日本ドイツ学会案内

1. **ホームページ**
日本ドイツ学会のホームページは，http://www.jgd.sakura.ne.jp/ にあります。
ご意見・ご要望がありましたら，事務局までお寄せください。

2. **入会について**
入会希望者の方は，会員2名の推薦を得て，学会ホームページ上にある入会申込書に記入の上，下記事務局までお送りください。年会費は5,500円となります。

3. **学会誌『ドイツ研究』への投稿募集**
『ドイツ研究』では，ドイツ語圏についての人文・社会科学系の論文，トピックス（研究動向紹介など学術的内容のテーマ），リポート（文化・社会情勢，時事問題などに関するアクチュアルな情報）の投稿を，会員より募集しています。分量は，ワープロ原稿（A4・40字40行）で論文10枚程度，トピックス5枚程度，リポート4枚程度となります。応募受付は毎年4月末まで，原稿の締切は8月20日です。なお，執筆の際は，『ドイツ研究』執筆要領に沿ってお書き下さい。投稿された論文については，投稿論文審査要綱にもとづく審査をへて，掲載の可否についてご連絡をいたします。詳しくは学会ホームページをご覧ください。

4. **新刊紹介の情報募集**
学会ホームページには，会員による新刊書籍・論文等の業績紹介ページを設けています。掲載希望の会員は，発行1年以内のものについて，書名（論文名），著者名（翻訳者名），発行年月日，発行所（掲載誌名），ISBN（ISSN），価格，書籍紹介ページのリンク等を，事務局までご連絡ください。

5. **連絡先**
〒153-8902　東京都目黒区駒場3-8-1
東京大学大学院総合文化研究科・教養学部18号館
足立信彦研究室内　日本ドイツ学会事務局
germanstudies@ask.c.u-tokyo.ac.jp

日本ドイツ学会役員（2019年6月～2021年6月期）

【理事長】近藤孝弘

【副理事長】川喜田敦子

【理事】
足立信彦・板橋拓己・小野寺拓也・玉川裕子・辻　英史・西山暁義・速水淑子・藤原辰史・水戸部由枝・弓削尚子

【監事】
村山　聡・姫岡とし子

【幹事】
青木聡子・秋野有紀・穐山洋子・石井香江・石田圭子・伊藤　白・香川　檀・木戸　裕・坂野慎二・渋谷哲也・辻　朋季
浜崎桂子・三成美保・村上公子・村上宏昭・森田直子

【学会誌編集委員会（54号）】
辻　英史（委員長）
青木聡子・穐山洋子・石井香江・伊藤　白・小野寺拓也・川喜田敦子・木戸　裕・坂野慎二・辻　朋季・浜崎桂子・速水淑子
原田晶子・藤原辰史・水戸部由枝・三好範英・森田直子

【学会奨励賞選考委員会】
西山暁義（委員長）
石田圭子・板橋拓己・渋谷哲也・三成美保・村上公子・弓削尚子・村上宏昭（事務局）

編集後記

『ドイツ研究』第54号をお届けします。

本誌は，本号より判型・体裁をあらため，再出発することになりました。

体裁は大きく変わりましたが，本誌の構成や編集作業の過程は，これまでと同じようにおこないました。本号の完成に寄与していただいた皆さま，とくに原稿をお寄せいただいた方々に厚く御礼申し上げます。

記念すべき再出発の門出に，本誌の今後の発展の可能性について若干私見を述べたいと思います。

現在，日常世界と同じく学界におけるコミュニケーションのあり方は大きく変わりつつあります。それにともなって学会や学会誌のあり方もまた変化をまぬがれません。学会は，かつてのような専門を同じくする研究者が定期的に集会を開催して議論するというスタイルからますます脱却し，さまざまな専門分野の研究者が自由に交流し，情報をやりとりしたり，新しい研究プロジェクトを立ち上げていくプラットフォームの役割を果たしていくことになるでしょう。日本ドイツ学会は，ドイツ研究に関わるさまざまな専門分野の研究者から構成され，そもそも学際的な性格を持っていますから，こうしたプラットフォーム化に向けてすでに動き出していると言えます。そのなかで，現在の大会開催と，本誌の発行，そして学会奨励賞の授与という学会の活動内容も，今後は変化していく可能性があると思います。

学会誌のあり方について言えば，昨今の変化の流れのひとつは電子化にあります。たとえば，図書館に通って研究文献のハードコピーを自分でとるという作業は当たり前のものではなくなりました。いまや文献の検索，入手，そして閲覧に至るまでがオンラインで可能になり，PCの前から離れずに研究を進めることすら珍しくありません。『ドイツ研究』は現在バックナンバーを含めネット公開はおこなっておらず（国立国会図書館のデジタルコレクションにより一部のコンテンツの閲覧は可能です），オンラインによる情報発信への対応は今後の大きな課題になるでしょう。

本号では，1999年6月30日におこなわれた第35回大会の内容を特集しています。この大会にはシンポジウムおよびフォーラムの双方に学会内外から予想をはるかに超える大勢の方に参加していただき，各テーマに対する強い関心とともに本会の活動に寄せられる強い期待を感じ取ることができました。再出発する『ドイツ研究』にとっては何よりの追い風になったと思います。

なお，最後になりましたが，第42号から第53号まで長期にわたり本誌の刊行をご担当いただいた信山社と，そして今号からご協力いただくことになった双文社印刷ならびに極東書店に，この場を借りて感謝申し上げます。

（辻　英史）

ドイツ研究　第54号
Deutschstudien Nr. 54

2020年3月31日　第1版第1刷発行

編　者▶日本ドイツ学会編集委員会
編集委員長　辻　英史
発　行▶日本ドイツ学会
理事長　近藤孝弘
発　売▶株式会社　極東書店
〒101-8672　東京都千代田区神田三崎町2-7-10
帝都三崎町ビル
印刷・製本▶株式会社　双文社印刷

ISBN 978-4-8739-4068-7